O encantador de cães

Dados Internacionais de Catalogação na Publicação (CIP)
(Câmara Brasileira do Livro, SP, Brasil)

Millan, Cesar
O encantador de cães : compreenda o melhor amigo do homem / Cesar Millan com Melissa Jo Peltier ; tradução Carolina Caires Coelho. -- Campinas, SP : Verus Editora, 2007.

Título original: Cesar's way.
ISBN 978-85-7686-019-8

1. Cães - Comportamento 2. Cães - Treinamento 3. Comunicação homem-animal I. Peltier, Melissa Jo. II. Título.

07-4490 CDD-636.70887

Índices para catálogo sistemático:

1. Cães : Treinamento : Zootecnia 636.70887

CESAR MILLAN
COM MELISSA JO PELTIER

O ENCANTADOR DE CÃES

Compreenda o melhor amigo do homem

Tradução
Carolina Caires Coelho

VERUS
editora

Título original
Cesar's Way
The Natural, Everyday Guide to Understanding and Correcting Common Dog Problems

Copidesque
Carlos Eduardo Sigrist

Revisão
Ana Paula Gomes
Raïssa Castro

Projeto gráfico
André S. Tavares da Silva

Editoração
Rossana Cristina Barbosa

Foto da capa: Alan Weissman

VERUS EDITORA LTDA.
Rua Benedicto Aristides Ribeiro, 55
Jd. Santa Genebra II - 13084-753
Campinas/SP - Brasil
Fone/Fax: (19) 3249-0001
verus@veruseditora.com.br
www.veruseditora.com.br

Dedicado à memória de meu avô,
Teodoro Millan Angulo,
e a meu pai,
Felipe Millan Guillen.
Sou grato a ambos por terem me ensinado
a apreciar, respeitar e amar a Mãe Natureza.

Um obrigado especial a minha mãe,
Maria Teresa Favela d'Millan,
que me ensinou o poder de um sonho.

AGRADECIMENTOS

Este primeiro livro representa muito para mim, e é importante que eu mencione todas as pessoas que, de alguma maneira, influenciaram minha vida – e me ajudaram a chegar ao ponto de finalmente realizar o sonho de escrever um livro! Nunca conheci algumas dessas pessoas, mas todas me ajudaram a moldar minhas opiniões e as abordagens do meu trabalho.

Em primeiro lugar está Jada Pinkett Smith, que tem sido mais que uma cliente – ela também tem sido uma mentora, guia e exemplo a ser seguido. Obrigado, Jada, por seu belo caráter e por me mostrar o significado da amizade incondicional.

Quero agradecer a Jay Real por me acolher e me ensinar as regras, restrições e limites do mundo dos negócios. Jay, você é um homem de honra. Instintivamente, você sempre soube quando tinha de me pegar pela mão e me guiar, mas também soube quando estava na hora de me soltar e permitir que eu deixasse o ninho e voasse. Sempre serei grato por isso.

Também há duas mulheres às quais eu preciso agradecer: as mulheres que gerenciavam um *pet shop* em San Diego e me contrataram assim que cheguei aos Estados Unidos. Perdoem-me por não lembrar seus nomes – eu não falava inglês na época e os nomes norte-americanos eram muito difíceis para mim. Mas, se estiverem lendo isto, saibam que nunca esquecerei o que fizeram por mim. Sempre penso em vocês como meus primeiros (mas não os últimos!) anjos da guarda norte-americanos.

Os autores de livros de auto-ajuda e os especialistas nessa área geralmente não são valorizados na mídia, mas credito a vários deles o sucesso que tenho hoje em dia. Oprah Winfrey me influenciou muito antes de eu conhecê-la pessoalmente e cuidar de seus cachorros. Seu programa *How to Say No* mudou minha vida logo no início de minha carreira, pois naquela época eu dizia não à minha família e sim a todas as outras pessoas. Obrigado, Oprah, por sua sabedoria e seus conselhos. Para mim, você será sempre um exemplo claro de energia calma e assertiva, pela maneira como lida com sua vida e seu trabalho. Você realmente é uma excelente "guia de matilha" da raça humana!

Há outras pessoas que quero mencionar e recomendar, pois influenciaram minha vida e o modo como trabalho com os cães. Anthony Robbins me ensinou a estabelecer um objetivo, ater-me às tarefas necessárias para a realização desse objetivo e concretizá-lo. O dr. Wayne Dyer me ensinou o poder da vontade. Deepak Chopra me ajudou a esclarecer minhas crenças a respeito do equilíbrio entre corpo e alma e de nossas ligações com os mundos natural e espiritual. O dr. Phil McGraw me ensinou a dar notícias ruins às pessoas de modo amoroso e também me ajudou a aceitar o fato de que meus conselhos não servem para todas as pessoas. O livro *Homens são de Marte, mulheres são de Vênus*, do psicólogo John Gray, me ajudou a salvar meu casamento.

Em certo momento de minha vida, fiquei desesperado para saber se estava louco, quando me perguntava se eu era a única pessoa no mundo a acreditar que a *psicologia* canina – e não o *treinamento* canino – era o segredo para ajudar cães com problemas. Os livros *Dog Psychology: The Basics of Dog Training*, do finado dr. Leon F. Whitney, e *The Dog's Mind*, do dr. Bruce Fogle, foram duas obras que salvaram minha sanidade e me ajudaram a perceber que eu estava no caminho correto.

Quando o *Los Angeles Times* publicou uma matéria comigo em 2002, um grupo de produtores de Hollywood me procurou repentinamente em meu Centro de Psicologia Canina e me prometeu a lua em troca de meus "direitos". Sheila Emery e Kay Sumner foram as únicas que não quiseram tirar nada de mim e não fizeram promessas malucas. Agradeço a elas por terem me apresentado ao grupo MPH Entertainment – Jim Milio, Melissa Jo Peltier e Mark Hufnail. A equipe MPH/Emery-Sumner vendeu meu programa, *Dog Whisperer with Cesar Millan*, ao National Geographic Channel. Diferentemente de outros produtores que se aproximaram de mim, os parceiros da MPH não quiseram me mudar. Nunca me pediram para fingir ser algo que eu não era. Queriam que eu me apresentasse exatamente como sou – sem frescuras, sem tentar apresentar um espetáculo, apenas minha essência. Kay, Sheila e os três parceiros da MPH – eu os chamo de "minha matilha da televisão" – ajudaram a me manter centrado em um negócio que pode facilmente fazer com que novatos percam o equilíbrio.

Quero agradecer em particular a meus dois filhos especiais, Andre e Calvin. Eles têm um pai extremamente dedicado a sua missão, a qual geralmente toma o tempo que eles poderiam ter para passar comigo. Quero que eles saibam que os mantenho em meus pensamentos durante todo o tempo que passo sem eles. Meus garotos maravilhosos, vocês são a razão para eu seguir em frente: qualquer coisa boa que eu faça no mundo, faço por vocês. Quero que vocês cresçam em uma família de honra, que defende uma causa importante. Andre e Calvin, espero que vocês sempre se lembrem de suas raízes e as valorizem.

Mais importante que tudo, quero agradecer a minha esposa, Ilusion Wilson Millan, que é minha força, meu apoio. Acredito que não há sorte maior para um homem que ter uma mulher que lhe dá apoio integral, e eu sou afortunado por ter isso. Ilusion sempre esteve comigo, antes que eu fosse "alguém" ou tivesse alguma coisa. Ela me ensinou a importância do amor incondicional e, ao mesmo tempo, me "recuperou". Nasci centrado, mas, antes de me casar, estava começando a me perder. Fiquei egoísta e comecei a confundir minhas prioridades. Ilusion me trouxe de volta. Ela me deu regras, limites e restrições. Sempre lutou pelo que achava ser o melhor para nosso relacionamento, para nossa família, e nunca se desviou disso. Ela ama os seres humanos da mesma maneira como eu amo os cães. No início de minha carreira, era mais fácil para mim ignorar a parte humana do relacionamento entre homem e cão, mas Ilusion percebeu logo que eram os homens que precisavam "entender a situação" para que os cães fossem felizes. Ela é também a pessoa mais generosa e tolerante que conheço. Sabe o que é perdão de verdade – não apenas as palavras, mas a ação de perdoar. Isso significou perdoar as pessoas responsáveis por momentos muito traumáticos de sua vida. Apenas isso já serve de inspiração para mim. Ilusion, todos os dias eu acordo orgulhoso e feliz por tê-la como esposa.

Finalmente, os cães. Se eu fosse uma árvore, todas as pessoas maravilhosas de minha vida seriam aquelas que influenciaram meu crescimento, mas os cães seriam minhas raízes. Eles me mantêm com os pés no chão. Em todos os cães que vejo, reside o espírito de meu avô, o homem que mais influenciou meu objetivo de vida, que me apresentou ao milagre dos animais e às maravilhas da Mãe Natureza. Os cães não lêem livros, então isso não quer dizer nada para eles. Mas, quando estou perto deles, espero que sempre sintam a energia de minha infinita gratidão pelo que eles têm me dado.

Melissa Jo Peltier gostaria de agradecer:

A Laureen Ong, John Ford, Colette Beaudry, Mike Beller e Michael Cascio, do National Geographic Channel, além de Russel Howard e Chris Albert, do departamento de publicidade; a nossa equipe do *Dog Whisperer with Cesar Millan*, pela consistente excelência; a Scott Miller, da Trident Media Group, por sua fé e paciência, e ao incomparável Ronald Kessler, por me apresentar à Trident; a Kim Meisner e Julia Pastore, da Harmony Books, pela competência; a Heather Mitchell, pela pesquisa e confirmação de dados; a Kay Sumner e Sheila Emery, por colocarem Cesar em nossa vida; a Ilusion Millan, pela confiança e amizade; a Jim Milio e Mark Hufnail, pelos dez anos maravilhosos, que continuam; a Euclid J. Peltier (pai), pela inspiração; à adorável Caitlin Gray, por ter sido paciente comigo durante um verão inteiro escrevendo; e a John Gray, o amor da minha vida – você mudou tudo.

E, é claro, a Cesar. Obrigada, Cesar, pela honra de permitir que eu fizesse parte de seu objetivo.

SUMÁRIO

PREFÁCIO

*Jada Pinkett Smith**

Prepare-se para o fato de que você aprenderá tanto a respeito de si mesmo quanto de seu cão (ou seus cães) com a psicologia canina de Cesar Millan. Nós, seres humanos, perdemos o conceito da ordem natural em que vivem os cachorros. Nossa falta de conhecimento sobre a natureza e sobre as necessidades de nossos animais de estimação faz com que os privemos dos instintos naturais que eles usam para sobreviver. Isso cria um animal infeliz e desequilibrado, que é mais uma dor de cabeça que uma alegria. Cesar nos ajuda a entender a maneira natural como os cães vivem, para que possam ser mais felizes e equilibrados. Nesse estado, nossos cães permitem que desenvolvamos um relacionamento mais saudável com eles.

Com paciência e sabedoria, Cesar tem sido uma bênção para minha família, meus cães e para mim. Por isso esteja receptivo, como aluno, para novos aprendizados e seja abençoado.

* Atriz de Hollywood e esposa do ator Will Smith.

PREFÁCIO

*Martin Deeley**

Hoje em dia, apesar de termos mais livros, mais ajuda, mais técnicas de treinamento e muito mais formas de lazer, o número de cães que se comportam mal tem aumentado como nunca. Temos meios de entender a natureza de nossos cães, mas não a compreendemos suficientemente. Apesar de sermos, na maioria, donos de cães bem-intencionados e amorosos, essa falta de compreensão pode causar muitos problemas para eles. Para explicar de modo simples, cachorros não são seres humanos em tamanho reduzido. Eles não pensam como seres humanos, não agem como seres humanos e não enxergam o mundo como seres humanos. Cães são cães, e é como tais que devemos respeitá-los. Prestamos um grande desserviço a eles quando os tratamos como seres humanos e, assim, criamos muitos dos problemas que vemos hoje em dia.

Desde o primeiro momento em que vi Cesar Millan trabalhar com cães em seu programa, percebi que ele entendia essa idéia. Ele é um homem único, que não teme ser politicamente incorreto, que fala sobre liderança com cães e não tem medo de lhes dar um corretivo quando precisam. Sempre me surpreende a maneira como Cesar lida com os cães e com seus donos. Ele explica o que está causando o problema de um modo que o dono do animal consegue entender. Sua personalidade, seu calor humano e seu bom humor são irresistíveis; diante de seu charme, até mesmo os donos mais teimosos ouvem e querem mudar. Ele

* Presidente da Associação Internacional dos Profissionais dos Cães.

consegue explicar a situação e resolver o problema. Com o mínimo de comunicação verbal, o cão obedece, mudando de atitude e de comportamento. Os cães aceitam a abordagem calma e confiante de Cesar. Ele é um homem que realmente sabe "conversar" com os cães.

Neste livro, Cesar nos lembra que a parte mais importante no treinamento de um cão é a construção de um relacionamento bom entre o homem e o animal, no qual os limites entre os dois sejam bem estabelecidos. Sei, por experiência própria, que isso é essencial. Meu primeiro cão, Kim, nunca demonstrou agressividade e nunca se comportou mal em público ou na presença de visitas. Hoje as pessoas diriam: "Que cachorro bem treinado!" Mas não houve treinamento; seu bom comportamento se devia ao relacionamento que mantínhamos, com base nos três elementos principais que Cesar explica neste livro: exercício, disciplina e afeto.

Cesar nos mostra como construir esse tipo de relacionamento e nos ajuda a entender melhor nossos animais. Ele também explica como os cães podem mudar de comportamento e atitude com a abordagem correta. Essas informações são essenciais para todos aqueles que querem viver pacificamente com seus valiosos companheiros.

INTRODUÇÃO

Seu cão o deixa maluco? Ele é agressivo, nervoso, medroso ou simplesmente muito tenso? Talvez seu amigo quadrúpede esteja obcecado por alguma coisa – seja pular em qualquer pessoa que entre pela porta, seja perturbá-lo para que você brinque de "pegar" com a mesma bola de tênis imunda sem parar.

Ou talvez, quem sabe, você pense ter o animal perfeito, mas gostaria de manter um relacionamento mais pleno com ele. Gostaria de saber o que desperta o interesse dele. Gostaria de entrar na mente do animal, para manter uma ligação mais estreita.

Se você concorda com alguma das situações acima, então está lendo o livro certo.

Se você não me conhece do programa de TV *Dog Whisperer*, transmitido pelo National Geographic Channel, permita que eu me apresente. Meu nome é Cesar Millan, e estou ansioso para dividir com você minha experiência de viver e trabalhar com cães – incluindo os milhares de "casos perdidos" que recuperei ao longo dos anos.

Um pouco sobre mim: cheguei aos Estados Unidos, saindo do México, em 1990, sem dinheiro algum e com o sonho e a ambição de me tornar o melhor treinador de cães do mundo. Comecei como tosador, mas, em menos de dez anos, estava trabalhando com matilhas de rottweilers extremamente agressivos, incluindo alguns cães que pertenciam a um maravilhoso casal de que você já deve ter ouvido falar: Will Smith e Jada Pinkett Smith. Will e Jada, donos responsáveis de cães, ficaram impressionados com meu talento natural para lidar com cachorros e generosamente me recomendaram a amigos e conhecidos – muitos deles celebridades. Não fiz nenhuma propaganda: minha reputação foi construída no "boca a boca".

Logo consegui abrir um negócio próprio, o Centro de Psicologia Canina, em South Los Angeles. Ali mantenho uma matilha de trinta a quarenta cães que ninguém quer. A maioria desses animais é recolhida de abrigos ou canis e é considerada inadotável, ou foi abandonada pelos donos devido a problemas comportamentais. Infelizmente, como não existem muitos abrigos que não sacrificam animais abandonados, a maioria enfrenta a eutanásia. Mas *meus* cães resgatados, uma vez recuperados, tornam-se membros felizes e produtivos de minha matilha. E, enquanto ficam sob meus cuidados, esses animais antes destinados à morte se tornam exemplos para os cães-problema de meus clientes.

Os cães de hoje, na sociedade moderna, demonstram uma carência singular – eu a vi em seus olhos e a percebi em sua energia assim que cruzei a fronteira dos Estados Unidos. Os cachorros da nossa sociedade desejam ter o que a maioria dos cães que vivem soltos tem: a possibilidade de simplesmente *ser* cães, de viver em uma *matilha* estável e equilibrada. Nossos cães lidam com um problema desconhecido para muitos cachorros mundo afora: a necessidade de "desaprender" os esforços bem-intencionados, mas destrutivos, de seus donos para transformá-los em pessoas com quatro patas e pêlos.

Em minha infância no México, eu assistia a *Lassie* e *Rin Tin Tin* e sonhava em me tornar o maior "treinador" de cães do mundo. Não chamo mais o que faço de "treinamento". Existem muitos ótimos treinadores por aí, pessoas que conseguem ensinar seu cão a obedecer a comandos, como "sentado", "parado", "venha" e "em pé". Eu não faço isso. Faço reabilitação. Lido com psicologia canina: tento me conectar com a mente e os instintos naturais do cão para ajudar a corrigir comportamentos inadequados. Não uso palavras nem dou comandos. Uso energia e toques. Quando vou à casa de um cliente, ele geralmente acha que o problema está no cão. Mas eu sempre penso que é mais provável que o problema esteja no dono. Sempre digo a meus clientes: "Faço reabilitação de cães, mas treino pessoas".

A chave para meu método é o que chamo de "poder da matilha". Por ter sido criado em uma fazenda com cães que eram trabalhadores, e não animais de estimação, passei anos observando-os e interagindo com eles em suas "sociedades de matilhas" naturais. O conceito de "matilha" está enraizado no DNA do animal. Em uma matilha, existem apenas dois papéis: o do líder e o do liderado. Se você não assumir o papel do líder, seu cão assumirá esse papel e passará a dominá-lo. A maioria dos donos de cães bajula seus animais e dá a eles carinho constante, acreditando que essa atitude basta ao cão. Não é suficiente. No mundo dos cães, ter apenas carinho causa problemas ao equilíbrio natural. Ao ensinar meus clientes a "falar" a linguagem do cão – a linguagem da matilha –, mostro a eles um mundo completamente novo. Meu objetivo ao trabalhar com os clientes é garantir que o ser humano e o cachorro fiquem mais saudáveis e felizes.

Em 2005, havia cerca de 29 milhões de cães no Brasil, e o setor de rações e outros alimentos para bichos de estimação faturou 1,8 bilhão de dólares.[1] O mercado de produtos para animais de pequeno porte movimentou 14 bilhões de reais em 2002,[2] e essa indústria vem crescendo muito rapidamente. Os donos de cães mimam seus animais com coisas como bolsas de viagem

---

[1] Fonte: Associação Nacional dos Fabricantes de Alimentos para Animais de Estimação (Anfal Pet).

[2] Fonte: *Veja Rio*, 24/7/2002.

de couro de crocodilo, apólices de seguro, motéis com espelho no teto para acasalamento, chapinhas para alisar os pêlos, sanitários de plástico em forma de poste, unhas postiças, máscaras à base de chocolate e outros produtos caríssimos. Na sociedade de hoje, os cães definitivamente são muito mimados. Mas será que são felizes?

Infelizmente, minha resposta é não.

Espero que você, ao ler este livro, aprenda técnicas que ajudem seu cachorro com os problemas dele. Mas, mais importante que isso, espero que você entenda melhor como seu animal vê o mundo – e o que ele realmente quer e do que realmente precisa para levar uma vida calma, feliz e equilibrada. Acredito que quase todos os cães nascem em perfeito equilíbrio, em sintonia com eles mesmos e com a natureza. Só quando eles passam a viver com humanos é que desenvolvem problemas, que eu costumo chamar de "questões". E, por falar nisso, quem de nós não tem nenhuma "questão" a ser resolvida? Após aplicar minhas técnicas, pode ser que você consiga até entender a si mesmo de outra maneira, analisar seu comportamento de outro modo e realizar mudanças na maneira de se relacionar com seus filhos, seu parceiro ou seu chefe. Afinal, os seres humanos também são animais que vivem em grupos! Mais pessoas do que você pode imaginar já me disseram que minhas técnicas as ajudaram, assim como ajudam os cães. Veja um exemplo numa maravilhosa carta que recebi de uma fã:

> Caro Cesar,
>
> Muito obrigada por seu programa, *Dog Whisperer.*
>
> O engraçado é que você me mudou e mudou a vida da minha família, embora não tenhamos um cachorro.
>
> Tenho 41 anos e sou mãe de duas crianças (um menino de 5 anos e uma menina de 6). Eu tinha grandes problemas para discipliná-los

(percebi que eles não tinham limites nem restrições). Meus filhos faziam de mim o que queriam, literalmente, tanto em locais públicos quanto em casa. Até que assisti ao seu programa.

Desde então, tenho me treinado para ser uma mãe mais assertiva, usando minha energia com mais autoridade, exigindo meu espaço como alguém a ser obedecido. Também tenho me treinado para não pedir ou implorar que eles façam as tarefas, mas para dizer o que eles têm de fazer (como limpar o quarto, tirar a mesa e colocar a roupa suja no cesto). Minha vida mudou, e eles também. Para minha surpresa, meus filhos se tornaram mais disciplinados (e as brigas são menos freqüentes), e percebi que, na verdade, eles gostam de responsabilidades e de executar tarefas. Eles ficam orgulhosos quando realizam uma tarefa e me deixam feliz.

Você dá lições aos seres humanos não apenas sobre os cães, mas também sobre eles mesmos.

Muito obrigada!

Família Capino

Eu devo muito aos cães. Devo meu sustento a eles, mas minha gratidão é ainda mais profunda. Devo meu equilíbrio aos cães. Devo a eles minha experiência de amor incondicional e, na infância, minha capacidade de superar a solidão. Devo minha compreensão de família aos cães, que me ensinaram a ser um "líder de matilha" melhor e mais equilibrado com minha esposa e meus filhos. Os cães nos dão tantas coisas, mas como retribuímos? Um lugar para dormir, comida, carinho... Será, porém, que isso basta para eles? Eles são tão puros e desapegados ao dividirem sua vida conosco. Não podemos analisar a mente e o coração deles para descobrir o que realmente querem?

Alguns donos de cães, acredito, não querem fazer o que é preciso para deixá-los felizes, pois não querem perder a realização proporcionada por eles. Mas, em um relacionamento ideal, as duas partes não devem se satisfazer?

O que espero com este livro é ajudar todos os meus leitores a devolver a seus cães apenas um pouco da felicidade que estes lhes proporcionam.

PRÓLOGO

UMA VIDA DE CÃO

São 6h45 e o sol começa a aparecer no topo das montanhas de Santa Monica. Estamos seguindo em direção ao leste, e a trilha está vazia e calma. Ainda não vi qualquer sinal de ser humano, o que é bom. Quando estou correndo nas montanhas – seguido por 35 cães soltos –, sempre escolho os caminhos menos percorridos. Os cães não são perigosos, mas podem parecer temíveis para alguém que vê pela primeira vez um homem correndo com uma matilha.

Já estamos correndo há cerca de meia hora, e Geovani, meu assistente, segue o último cão, cuidando da parte de trás da matilha para que nenhum deles saia do caminho. Raramente isso acontece. Quando entramos no ritmo, a matilha e eu pisamos a terra como se fôssemos uma unidade, como se fôssemos apenas um animal. Eu vou à frente e eles me seguem. Consigo ouvir a respiração ofegante deles e o arranhar de suas patas no solo. Eles estão calmos e felizes e trotam levemente, com a cabeça baixa e o rabo balançando.

Os cães me seguem pela ordem de status, *mas, como essa matilha é muito maior que uma matilha de lobos em uma floresta, eles se dividem em grupos de alta, média e baixa energia (os cães mais baixos têm de correr mais para acompanhar o ritmo).*

Todos eles estão em modo de migração, e seus instintos estão no controle. Então, às vezes penso que os meus também estão. Respiro fundo – o ar está limpo e leve, e eu nem sequer consigo sentir o cheiro da fumaça de Los Angeles. É uma sensação de plena felicidade. Sinto-me em união com a natureza, a manhã e os cães. Penso em como sou abençoado por poder passar meus dias assim, por poder passar este dia como parte de meu trabalho, de minha missão de vida.

Em um dia comum de trabalho, deixo minha casa em Inglewood, Califórnia, e chego ao Centro de Psicologia Canina, em South Los Angeles, às seis da manhã. Geovani e eu deixamos os cães irem para o quintal de terra do Centro para que possam fazer suas necessidades fisiológicas após uma noite de sono. Depois disso, nós os colocamos na *van* e chegamos às montanhas antes das 6h30. Ficamos lá por cerca de quatro horas, alternando exercícios vigorosos com atividades moderadas e descanso.

O exercício é como o descrevi – guio a matilha como um lobo, e os cães me seguem. Eles formam um grupo heterogêneo – uma mistura de cães feridos, rejeitados e abandonados que foram resgatados e os cães de meus clientes, que chegaram ao Centro para "retornar às raízes". Temos muitos pit bulls, rottweilers, pastores alemães e outras raças resistentes, como springer spaniels, greyhounds italianos, buldogues e chiuauas. Enquanto corremos, a maioria dos animais fica sem coleira. Se um deles precisar ser preso, o assistente cuida disso. Se houver qualquer dúvida quanto à obediência do cão dentro da matilha, ele fica em casa, e eu o exercito de outro modo. Por mais diferentes que sejam, os cães trabalham juntos na matilha. Seus instintos mais profundos e primitivos fazem com que eles sigam a mim, o "líder da matilha", me obedeçam e cooperem uns com os outros. Todas as vezes em que nos exercitamos juntos, fico mais próximo deles. É assim que a natureza quer que uma matilha funcione.

O mais interessante é que, sempre que estamos caminhando ou correndo, os cães de todas as raças são indistinguíveis. Simplesmente são uma matilha. Quando descansamos, eles se separam por raças. Os rottweilers ficam juntos. Eles abrem um buraco no solo para poderem descansar. Os pit bulls se deitam juntos, sempre no meio da matilha, ao sol. E os pastores alemães se unem e deitam sob uma árvore frondosa. Todos têm o próprio estilo. Então, quando chega a hora de correr de novo, eles se misturam como se não houvesse qualquer diferença entre si. O cão e o animal em cada um deles são muito mais fortes que a raça – pelo menos quando o assunto é migração. Todos os dias que passo com os cães, eles me ensinam algo novo a respeito de si. Para cada coisa que faço para ajudá-los, eles me retribuem com mil presentes.

Às 10h45 estamos de volta a South Los Angeles. Após horas de intenso exercício nas montanhas, os cães estão prontos para beber mais água e ir para casa. Eles voltam ao Centro e descansam à sombra de um pórtico de dois andares, sob uma árvore frondosa ou na "Tailândia", como chamo a seqüência de cinco casinhas individuais para os menores. Alguns dos mais ativos gostam de se refrescar em uma de nossas piscinas antes de dormir. Durante a hora de descanso, das onze ao meio-dia, dedico-me às consultas e ao registro de novos animais no Centro. O melhor momento de apresentar um cão novo e desequilibrado a uma matilha estável é quando todos estão exaustos.

Agora que já se exercitaram e estão descansados, os cães ganham o alimento... assim como teriam de fazer na natureza. Gosto de preparar a comida, misturando-a com as mãos, para que o alimento sempre tenha o cheiro do líder da matilha. O ritual de alimentação no Centro de Psicologia Canina demora de uma hora e meia a duas horas e é um desafio psicológico aos cães – nos termos usados pelos seres humanos, um exercício de "força de vontade". Os cães se organizam diante de mim e esperam. Apenas os mais calmos, maduros e relaxados podem comer primeiro. Isso faz com que todos os cães percebam que, quanto mais calmos e contidos eles forem, mais probabilidade terão de conseguir o que querem. Os cães devem se alimentar lado a lado, sem brigar nem monopolizar a comida. Esse é um grande desafio mental para um cão, mas ajuda a garantir que a matilha continue bem.

Depois que os cães se alimentaram e fizeram suas necessidades fisiológicas, estão prontos para mais atividade física. Como você pode perceber, acredito em disciplina e intensa atividade física para ajudar os cães a alcançar o tipo de equilíbrio que teriam se vivessem naturalmente, em um mundo sem a influência dos seres humanos.

Nossa próxima atividade é a mais rigorosa do dia – patinação. Acredite ou não, a maioria dos cães adora correr comigo enquanto eu ando de patins – eles adoram o desafio de tentar acompanhar o líder da matilha sobre rodas! Só posso andar de patins com no máximo dez cães por vez, por isso faço três ou quatro sessões seguidas. No meio da tarde, todos já estão satisfeitos. Os cães estão exaustos, e eu também! Enquanto eles descansam por duas horas, faço telefonemas e cuido da papelada do escritório. Às cinco horas, voltamos a sair para brincar de bola por vinte minutos. No Centro de Psicologia Canina, entre trinta e quarenta cães brincam de pegar com a mesma bola sem que haja brigas. É o que chamo de "poder da matilha" de influenciar o bom comportamento.

Quando o sol começa a se pôr, a matilha descansa o restante do dia. É o melhor momento para eu trabalhar individualmente com qualquer animal que precise – por exemplo Beauty, uma pastora alemã que sofre de um grave problema de agressão por medo. Quando alguém se aproxima, ela se retrai, foge ou ataca. Para conseguir prendê-la com a coleira, tenho de correr atrás dela, cansá-la e esperar até que se entregue. Pode ser que eu tenha de repetir esse mesmo procedimento mil vezes até que ela perceba que, quando eu levanto a mão, a decisão mais sábia é vir até mim. Como Beauty tem se exercitado e participado da matilha o dia todo, este é o melhor momento para que eu a ajude a resolver suas questões.

Hoje, mais de dez anos depois que o Centro de Psicologia Canina foi aberto, mantenho um pequeno grupo de funcionários de confiança, além de mim, de minha esposa e de quatro outros leais empregados. Cuidamos, em média, de trinta a quarenta cães por vez. Muitos deles estão conosco desde o começo. Alguns nós consideramos de estimação, e os levamos para casa ao fim do dia. Nós nos tornamos tão próximos de vários deles que temos de alternar os escolhidos para levar para casa. Outros cães são visitantes que retornam periodicamente, pois pertencem a clientes de longa data que gostam do efeito equilibrante que a matilha provoca nos cachorros. Para esses animais, que já são psicologicamente saudáveis, ir ao Centro é como sair para acampar e se reunir com os amigos.

O restante dos animais do Centro são visitantes temporários, que levo até lá para ajudar na reabilitação. A porcentagem de cães "regulares" e "temporários" é de 50% para cada lado. Alguns dos "temporários" são cães recolhidos de abrigos, que acabariam sendo sacrificados se não conseguissem voltar a ser sociáveis *rapidamente*. Os outros são cães de clientes. Gosto de dizer que os cães de clientes são os que mantêm o negócio funcionando, e aqueles de instituições de resgate são os que mantêm meu carma funcionando. A maioria de meus clientes não precisa mandar seus cães para o Centro para que estes fiquem bem, assim como nem todos os seres humanos precisam participar de terapia em grupo para lidar com problemas psicológicos. A maioria dos casos com os quais lido envolve simplesmente cães que precisam de liderança mais forte por parte dos donos, além de regras, limites, restrições e consistência em seus lares para melhorarem. Mas há casos em que a melhor solução é trazer os cães para que tenham apoio e influência de seus semelhantes e reaprendam a ser cães.

Como grande número dos nossos cães vem de organizações de resgate, muitos têm histórias tristes, e algumas incluem crueldade imposta pelos seres humanos. Rosemary teve uma dessas histórias. Uma pit bull mestiça, ela foi criada para participar de rinhas ilegais. Depois de ter perdido uma importante briga, seus donos derramaram gasolina sobre ela e atearam fogo. Uma organização de resgate salvou sua vida, e ela conseguiu se recuperar das queimaduras, mas é claro que sua terrível experiência de vida a transformou num cão perigosamente agressivo. Ela passou a morder as pessoas. Fiquei sabendo da história de Rosemary logo depois que ela atacou dois idosos e imediatamente me ofereci para tentar reabilitá-la.

Rosemary me foi apresentada como um animal mortalmente perigoso. Mas, quando a levei ao Centro, transformá-la foi muito fácil. Ela só precisava de um lugar seguro e de uma liderança sólida para que voltasse a confiar nas pessoas. Antes ela se sentia intimidada pelos seres humanos, então agia rápido. Por isso atacava, pois, com base em sua experiência, se não atacasse a pessoa, esta a machucaria. Não precisei de mais que dois dias para ganhar sua confiança. Depois disso, ela se tornou o animal mais dócil e obediente que você pode imaginar. Ela não nasceu para ser uma assassina – foram as pessoas que a transformaram nisso. Quando passou a viver no Centro, cercada pela energia de cães estáveis e equilibrados, ela se mostrou um caso simples.

Rosemary agora vive com uma família adotiva, que a adora e não consegue acreditar que ela já foi agressiva com seres humanos. Ela se tornou uma das melhores embaixadoras do Centro de Psicologia Canina.

Assim como Rosemary, Popeye foi encontrado por uma organização de resgate vagando pelas ruas, e foi parar no Centro porque os funcionários do abrigo não conseguiam lidar com ele. Popeye é um pit bull puro que perdeu um dos olhos em uma rinha ilegal. Depois que se feriu, seus donos não viram mais utilidade nele e o abandonaram. Enquanto se acostumava a ter apenas um olho, Popeye se tornou muito desconfiado em relação aos outros cães, pois sua visão do mundo tinha se estreitado e ele se sentia vulnerável. Ele reagiu aproximando-se de outros cães de modo agressivo, para intimidá-los – quase sempre causando uma briga. Depois, passou a atacar pessoas. Quando chegou a mim, era muito dominador, nervoso e controlador. Foi um caso muito mais difícil, pois sua energia era tão grande que eu sempre tinha de estar atento perto dele. Atualmente, ele é um membro dócil da matilha. E ninguém aqui lhe causa problemas por ele ter só um olho.

Temos muitos pit bulls na matilha, não porque sejam mais perigosos que outros cães, e sim porque estão entre as raças mais fortes e são os que dão mais trabalho para as organizações de resgate quando desenvolvem agressividade. Infelizmente, muitas pessoas criam pit bulls para participar de rinhas ou para proteger propriedades, por isso eles são condicionados a mostrar o lado agressivo de sua natureza.

Preston também é um pit bull, e é enorme. Vivia com um senhor de 80 anos, e passou a vida trancado em um apartamento com o homem. Como era naturalmente calmo, nunca se tornou destrutivo – enquanto seu dono era vivo. Preston estava presente quando o idoso faleceu e foi encontrado pelo proprietário do apartamento, que telefonou para a Fundação Amanda. Quando foram buscar o animal, ele se mostrou retraído. Cães retraídos geralmente são fortes candidatos a agressão, por causa do medo. Quando colocaram Preston em um canil e depois tentaram tirálo de lá, ele passou a atacar todo mundo. Como é um animal muito grande, os funcionários do abrigo ficaram com medo dele. Mas, quando o levei ao Centro, vi logo de cara que era um animal medroso e inseguro. Ele foi um dos raros animais que coloquei com a matilha, em tempo integral, desde o primeiro dia. Sendo calmo por natureza, ele se identificou com a energia tranqüila e estável dos outros membros da matilha e quase que instantaneamente passou a ser como eles. Acalmou-se. Apesar de ainda se mostrar assustado à maioria dos visitantes, conheço seu segredo – ele é, na verdade, um gigante gentil.

Apesar de não ter favoritos no Centro, Scarlett, uma buldogue francesa pequena, branca e preta, é um cão ao qual me tornei muito próximo. Ela sempre vai para minha casa, e meus filhos a consideram de estimação. Scarlett era a cadelinha mais nova em uma casa cheia de cães e outros animais. Seus donos tinham um coelho, que fugiu da jaula, foi atacado por ela e teve um olho arrancado. Fui até a casa e trabalhei com Scarlett – no caso dela, eu não considerava necessário levá-la ao Centro. O problema não era ela, mas os donos. Não havia disciplina na família – nenhuma regra, limites, restrições; os donos raramente estavam em casa para cuidar dos muitos animais que viviam soltos pela propriedade. Dei aos donos muitas tarefas, mas eles não mudaram nada. Algumas semanas depois, Scarlett arrancou a perna de um chiuaua que vivia com eles. Como ela era o animal mais agressivo e mais novo da matilha, os donos a culparam. Cheguei à conclusão de que não havia esperança para ela naquele ambiente, por isso me ofereci para adotá-la. Agora ela é tão dócil e calma que pode ir a qualquer lugar comigo. Eu a considero meu amuleto. Sempre que preciso de sorte, esfrego sua barriguinha, como fazemos com a estátua de Buda. Ela nunca me decepcionou.

Oliver e Dakota são dois springer spaniels marrons e brancos. Ambos têm problemas físicos resultantes de endogamia, como infecções recorrentes nos olhos e ouvidos. Dakota está em pior situação. Acredito que todos os cães entram em nossa vida para nos ensinar algo. Dakota foi o animal que me ensinou a respeito de danos neurológicos – um problema que não posso resolver. A energia de Dakota é "desligada". Tudo nele – desde o latido até a maneira como persegue a própria sombra – é muito desequilibrado. Como não permitimos agressão na matilha – em hipótese alguma –, os outros cães não o ferem e ele consegue viver em paz. Na natureza, ele seria perseguido e atacado por sua fraqueza e provavelmente não sobreviveria.

Gostaria de poder falar sobre todos os animais do Centro, pois todos têm histórias igualmente fascinantes. Todos, porém, têm uma coisa em comum: para eles, fazer parte de um grupo de semelhantes tem um sentido muito importante. Fazer parte de uma família de pessoas não seria a mesma coisa. Eles se sentiriam confortáveis, talvez até fossem mimados. Mas não teriam esse sentido primordial. Por isso, quando os cães conseguem fazer parte de um grupo de semelhantes – independentemente da raça –, eles se sentem completos.

Gostaria que todos os cães do mundo fossem tão equilibrados e realizados como os animais de minha matilha. Meu objetivo na vida é ajudar a reabilitar o máximo de cães "problemáticos" que puder.

Quando a noite se aproxima, chega o momento de voltar para casa e rever minha matilha de seres humanos – minha esposa, Ilusion, e meus dois filhos, Andre e Calvin. Geovani passará a noite no Centro, cuidando das necessidades dos cães e colocando-os no canil quando estiver na hora de dormir. Depois de cerca de sete a oito horas de exercício, estão prontos para cair no sono. Amanhã o ciclo se repetirá, comigo ou com um de meus colegas no Centro. Essa é minha vida – uma vida de cão –, e sinto-me abençoado por vivê-la.

Por meio deste livro, convido você a participar dela comigo.

1

CRESCENDO COM OS CÃES

Uma visão do outro lado da fronteira

Acordávamos antes do sol, naquelas manhãs de verão na fazenda. Não havia eletricidade. Por isso, quando o céu escurecia no final da tarde, não havia muito que nós, crianças, pudéssemos fazer à luz de velas. Enquanto os adultos conversavam em voz baixa, minha irmã mais velha e eu tentávamos adormecer, apesar do calor. Não precisávamos de relógio; nosso despertador eram os primeiros raios de luz que atravessavam a veneziana. O primeiro som que eu ouvia era o cacarejar insistente das galinhas competindo para comer os grãos que meu avô já espalhava pelo terreno. Se eu permanecia um pouco mais na cama, sentia o aroma do café sendo preparado no fogão e escutava o barulho que a água fazia nos recipientes de barro que minha avó trazia do poço. Antes de entrar em casa, ela despejava um pouco da água no caminho de terra diante da porta, para que não ficássemos sufocados com a poeira que as vacas levantavam ao passar por ali, em direção ao rio.

Mas, na maioria dos dias, a última coisa que eu queria era continuar deitado. Mal podia esperar para me levantar e sair. Só queria ficar entre os animais. Desde que me lembro, eu adorava passar horas caminhando com eles ou apenas os observando em silêncio, tentando entender como sua mente funcionava. Eu queria saber como cada animal – gato, galinha, touro ou bode – enxergava o mundo e entender cada um deles completamente. Não pensava que os animais fossem como os seres humanos, mas também não os via como "inferiores". As diferenças entre nós sempre me fascinavam e surpreendiam. Minha mãe ainda diz que, desde o momento em que eu tocava um animal, não me cansava de aprender cada vez mais sobre ele.

E os cães sempre foram os animais que mais chamavam minha atenção. Em nossa família, ter cães por perto era como ter água para beber. Eles foram uma presença constante em minha infância, e não há como ignorar a importância que tiveram para que eu me tornasse o homem que sou. Não consigo imaginar um mundo sem cães. Respeito a dignidade deles, como animais altivos e miraculosos. Admiro sua lealdade, perseverança, resiliência e força. Continuo a me desenvolver espiritualmente estudando o elo perfeito que eles mantêm com a Mãe Natureza, mesmo após milhares de anos ao lado do homem. Dizer que "amo" os cães é pouco para descrever nossa afinidade e os sentimentos que tenho por eles.

Fui abençoado com uma infância maravilhosa, podendo viver perto dos cães e de outros animais. Como cresci no México, em uma cultura bem diferente da que existe onde vivo hoje, tenho a vantagem de enxergar o país e seus costumes pela perspectiva de um recém-chegado. Apesar de não ser veterinário ou biólogo, já consegui curar milhares de problemas caninos ao longo dos anos. E minha experiência e meu ponto de vista me dizem que muitos cães não são tão felizes e estáveis quanto poderiam ser. Gostaria de oferecer a você uma maneira mais equilibrada e saudável de amar seu cão, uma maneira que o ajudará a estabelecer a forte conexão que você sempre sonhou em ter com ele. Espero que, depois que eu lhe contar minha experiência e minha história de vida com os cães, você passe a ter uma visão diferente do relacionamento que os seres humanos estabelecem com os amigos caninos.

A fazenda

Nasci e passei a maior parte de meus primeiros anos em Culiacán, uma das cidades mais antigas do México, distante cerca de mil quilômetros da Cidade do México. No entanto, minhas lembranças mais vívidas de infância são das férias e dos finais de semana passados na fazenda de meu avô, em Ixpalino, a uma hora de distância. Na região de Sinaloa, as fazendas como aquela em que meu avô vivia operavam com um tipo de sistema feudal. A fazenda, ou rancho, era propriedade dos *patrones*, as famílias mais ricas do México. Meu avô era um dos vários trabalhadores das famílias do rancho, conhecidas como *campesinos*, que arrendavam *ejidos*, extensões de terra, e tiravam seu escasso sustento cuidando delas. Essas famílias da fazenda formavam uma comunidade – em comum, elas tinham a terra na qual trabalhavam. É possível comparar a situação delas com a dos meeiros na América do Sul. A principal função de meu avô era cuidar de dezenas de vacas e levá-las com segurança do pasto ao rio e de volta ao pasto, todos os dias.

Também criávamos galinhas e outros animais, em grande parte para nosso sustento. A casa era apertada – comprida e estreita, feita de tijolos e argila. Tinha apenas quatro cômodos e ficou cheia depois que minhas outras irmãs e meu irmão nasceram, e também se enchia quando meus primos vinham nos visitar. Eu já tinha 14 ou 15 anos quando a água encanada chegou lá. Mas, mesmo assim, não me lembro de ter me sentido "pobre". Naquela região do México, a classe trabalhadora era maioria. E, a meus olhos, a fazenda era um paraíso. Eu preferia ficar ali a ir a um parque de diversões. Era na fazenda que eu sentia que realmente podia ser eu mesmo, quem eu nascera para ser. Era o lugar que me fazia sentir ligado à natureza.

E ali sempre estavam os cães, geralmente vivendo livremente, em matilhas de cinco a sete animais. Não eram selvagens, tampouco eram cães domésticos. Ficavam soltos no terreno e iam e vinham conforme desejavam. A maioria era de raças misturadas, alguns deles parecidos com pastores alemães de menor porte, labradores e basenjis. Os cães sempre fizeram parte de nossa família, mas não eram tratados como animais de estimação, no sentido exato que essa expressão tem para a sociedade moderna. Os cães da fazenda trabalhavam para sobreviver. Eles ajudavam a cuidar dos outros animais – correndo ao lado ou atrás de meu avô enquanto ele pastoreava as vacas, mantendo-as no caminho correto. Também realizavam outras tarefas, como proteger nossa terra e nossa propriedade. Se um dos trabalhadores esquecesse o chapéu no campo, os cães cuidariam dele até que o dono retornasse. Também protegiam as mulheres da família. Quando minha avó caminhava até o campo levando as refeições dos trabalhadores, um ou dois cães a acompanhavam, para o caso de um porco-do-mato aparecer para pegar a comida. Os cães sempre nos protegiam, era algo comum. E nós nunca os ensinamos a fazer essas coisas com um treinamento para cães, como as pessoas imaginam. Não dizíamos os comandos como os treinadores fazem, nem dávamos biscoitos como recompensa. Nunca batemos neles para que nos obedecessem. Eles simplesmente faziam o que tinham de fazer. Parecia ser algo da natureza deles, ou talvez fosse um comportamento passado de geração a geração. Em troca de sua ajuda, jogávamos para eles alguns *burritos* de vez em quando. Caso contrário, eles procuravam comida ou caçavam pequenos animais. Interagiam conosco, mas também tinham seu estilo de vida – a própria "cultura", se você preferir.

Esses "cães trabalhadores" de nossa fazenda foram meus professores na arte e na ciência da psicologia canina.

Sempre adorei observar os cães. Acredito que as crianças em geral gostam de correr e brincar de pegar ou de cabo-de-guerra com os cachorros, e também de rolar no chão com eles. Desde muito pequeno eu me divertia apenas observando os cães. Quando eles não estavam perto de nós nem interagindo com os outros animais da fazenda, eu observava as brincadeiras entre eles. Desde muito cedo aprendi sua linguagem corporal – como a posição "abaixado", quando um cão convidava outro para brincar. Lembro que eles se atracavam, mordendo a orelha um do outro e rolando no chão. Às vezes corriam e faziam explorações juntos; outras vezes se reuniam e escavavam a toca de algum roedor. Quando o "dia de trabalho" deles terminava, alguns pulavam no rio para se refrescar. O menos corajoso deitava na margem e observava os outros. Os hábitos e padrões deles formavam uma cultura própria. As mães disciplinavam os filhotes para que aprendessem as regras da matilha desde cedo. As matilhas e as unidades familiares operavam como uma sociedade organizada, com regras e limites claros.

Quanto mais horas eu passava observando os cachorros, mais perguntas vinham a minha mente. Como eles organizavam as atividades? Como se comunicavam? Percebi desde cedo que um simples olhar de um cão a outro podia mudar a dinâmica da matilha em um segundo. O que acontecia entre eles? O que estavam dizendo um ao outro, e como diziam? Logo percebi que eu também podia influenciá-los. Se eu quisesse alguma coisa – por exemplo, se desejasse que um deles me acompanhasse até o pasto –, parecia que eu só precisava mentalizar, pensar na direção a ser seguida e o cão lia minha mente e me obedecia. Como ele sabia fazer isso?

Eu também ficava fascinado com a quantidade enorme de coisas que os cães eram capazes de aprender a respeito do complexo mundo ao redor deles, simplesmente por tentativa e erro. Será que eles já tinham um conhecimento nato sobre a natureza? A grande compreensão que mostravam ter sobre o ambiente e sobre como sobreviver nele parecia surgir de uma mistura de natureza e cuidados. Por exemplo, lembro-me muito bem de quando vi um casal de filhotes se aproximando de um escorpião pela primeira vez na vida. Obviamente eles estavam encantados com a criatura e se aproximavam dela farejando-a com cuidado. Quando chegaram perto, o escorpião partiu na direção deles, e os dois filhotes se afastaram. Depois o farejaram de novo, se afastaram e voltaram a farejar – mas não chegaram perto o bastante para acabarem picados. Como sabiam até onde podiam ir? Será que o escorpião mandava "sinais" a eles, dizendo até que ponto era permitido avançar? Como os filhotes perceberam que o escorpião era venenoso? Testemunhei a mesma cena entre um outro cachorro e uma cobra. Será que ele percebia que ela era perigosa? Eu sabia detectar um animal venenoso pela maneira como fora ensinado. Meu pai me dizia: "Se você se aproximar daquele escorpião, vai apanhar" ou "Se você chegar perto daquela cobra, vai levar uma picada". Mas não vemos um cão ou uma cadela dizendo aos filhotes: "As coisas são desse jeito". Os cães aprendem pela experiência e pela observação de outros cães, mas também parecem ter um sexto sentido em relação à natureza – um sentido que percebi, ainda criança, que os seres humanos não têm. Aqueles animais pareciam estar em completa sintonia com a Mãe Natureza, e era isso que me surpreendia e me fazia observá-los, dia após dia.

Líderes e seguidores da matilha

Ainda pequeno, percebi outra coisa: uma série de comportamentos que pareciam separar os cães da fazenda de meu avô dos cães das fazendas de outras famílias. As matilhas de outras fazendas pareciam ter regras muito rígidas, nas quais um dos cães era o líder, e os outros, os seguidores. Essas famílias gostavam de observar os cães lutando para estabelecer a dominância – quando um derrotava o outro. Isso era diversão para elas. Eu percebia que tais demonstrações de domínio eram um comportamento natural para os cães; eu já vira esse tipo de comportamento nas matilhas de cães selvagens que viviam nas redondezas da fazenda. Mas meu avô não aceitava esse tipo de comportamento. Os cães de nossa fazenda não pareciam ter um líder de matilha entre eles. Percebo agora que isso acontecia porque meu avô não permitia que os cães tirassem dele – nem dos outros seres humanos – a função de líder. Instintivamente ele sabia que, para que os cães vivessem em harmonia conosco – para trabalharem na fazenda e não demonstrarem dominância nem agressividade –, eles tinham de entender que os seres humanos eram os líderes. Podíamos perceber isso no comportamento deles em relação a nós. Sua linguagem corporal nos passava a mensagem clara e clássica de "submissão calma" – qualidade de energia que descreverei com mais detalhes posteriormente. Os cachorros mantinham a cabeça baixa e ficavam a certa distância quando andavam conosco – sempre atrás de nós ou ao nosso lado, nunca na frente.

Meu avô nunca contou com a ajuda de manuais de treinamento nem de técnicas científicas, mas sempre conseguia obter um comportamento perfeitamente calmo, submisso e cooperativo dos cães. Nunca vi meu avô usar qualquer tipo de violência ou ganhar os animais com recompensas. Ele apenas demonstrava o tipo de postura calma, assertiva e consistente que torna a liderança evidente em qualquer idioma, para qualquer espécie. Meu avô foi uma das pessoas mais confiantes e calmas que já conheci – e, sem dúvida, a mais conectada com a natureza. Acho que ele reconhecia que, entre seus netos, eu era aquele que tinha o mesmo dom. O conselho mais sábio que ele me deu foi: "Nunca trabalhe contra a Mãe Natureza. Você só terá sucesso se trabalhar *com* ela". Até hoje eu repito essa frase para mim mesmo – e para meus clientes – sempre que trabalho com cães. E, às vezes, quando estou estressado, a aplico a outras áreas de minha vida. Apesar de meu avô já ter falecido, aos 105 anos, agradeço todos os dias a ele pela frase infinitamente sábia que me disse.

Por vivermos entre cães que tinham um comportamento tão gentil e obediente, nenhuma de nós, crianças, temia que um deles pudesse nos ferir. Estávamos sempre confiantes perto deles e assim nós também nos tornamos seus líderes. Nunca vi um cão rosnar para meu avô nem ser agressivo com as crianças. Minha experiência de vida com meu avô na fazenda me ensinou que, quando os cães e os seres humanos vivem juntos, é melhor que os primeiros tenham um estado de espírito calmo e submisso. Minha família e eu crescemos entre cães com esse comportamento, e nosso relacionamento com eles era de pura harmonia. E eles pareciam sempre felizes, relaxados, serenos e satisfeitos. Não demonstravam estresse nem ansiedade. Eram saudáveis e equilibrados, como a natureza desejava que fossem.

Não quero dar crédito pela minha maravilhosa e incomparável infância somente aos meus avós. Meu pai foi o homem mais honesto e honrado que já conheci. Foi ele que me ensinou a ser íntegro. Minha mãe, por sua vez, me ensinou sobre paciência e sacrifícios. Ela sempre me falou a respeito da importância de ter um sonho e de sonhar o mais alto que quisesse. Mas, como algumas pessoas que crescem e trabalham com animais, sempre me senti um pouco diferente das outras crianças. Eu parecia me relacionar melhor com os animais do que com as pessoas. Esse sentimento de isolamento aumentou quando começamos a passar menos tempo na fazenda e mais tempo na cidade litorânea de Mazatlán.

A mudança se deveu à preocupação de meu pai com nossa educação. Ele era um mexicano à antiga – muito dedicado aos pais –, mas percebeu que não existiam escolas de verdade na fazenda. Às vezes os professores iam até lá e davam aula a algumas das crianças, porém geralmente ficavam muito tempo sem voltar. Meu pai queria que tivéssemos uma educação mais séria, por isso nos mudamos para Mazatlán, a segunda maior cidade litorânea do México e uma meca das férias. Eu tinha cerca de 6 ou 7 anos na época.

Vida na cidade: cão comendo cão

Lembro-me de nosso primeiro apartamento em Mazatlán. Pode acreditar: ele nunca apareceria na capa de uma revista de arquitetura e decoração. Era no segundo andar de um prédio na Calle Morelos, na parte proletária e lotada da cidade. Era bem comprido e estreito, como um *railroad flat** de Manhattan – com sala, cozinha, *hall* e dois quartos, um para nossos pais e outro para os filhos. Havia um banheiro onde também lavávamos as roupas. E só. Meu pai conseguiu um emprego de entregador de jornais, e nós, crianças, nos vestíamos com as roupas que iam passando dos maiores para os menores e íamos à escola todos os dias.

---

* Apartamento estreito cujos cômodos são posicionados em linha reta. É preciso passar pelo primeiro cômodo para chegar ao segundo, e assim por diante, pois não há corredor interno. (N. do E.)

Para mim, a pior coisa de morar na cidade era não poder mais ter cachorros por perto. A primeira vez que levamos cães ao apartamento, deixamos que eles ficassem no *hall*. Mas eles cheiravam mal e nós não éramos muito disciplinados quanto a limpar a sujeira que faziam. (Também tentamos criar galinhas no *hall*, mas o cheiro era ainda pior!) Não podíamos deixar os cães saírem de casa, pois podiam ser atropelados, já que os carros eram muito mais rápidos que os de Culiacán. Na fazenda estávamos acostumados a deixar os cachorros livres e basicamente cuidando de si mesmos; não sabíamos como levá-los para passear ou como cuidar deles num ambiente urbano. Para ser honesto, tínhamos um pouco de preguiça. E as crianças de nossa vizinhança não brincavam com cães. A maioria dos cachorros que víamos vivia solta pelas ruas, remexendo os lixos em busca de alimentos. Percebi que os animais da cidade não eram tão magros quanto os da fazenda – havia muito mais alimento para eles, muito lixo para comer. Mas certamente eram mais medrosos, nervosos e inseguros. E, pela primeira vez, vi pessoas batendo em cães. Na fazenda, as pessoas apenas gritavam com eles ou corriam atrás deles se estivessem atacando as galinhas ou roubando a comida da família. Mas geralmente isso só acontecia com cães selvagens ou lobos. Os cachorros que viviam conosco nunca fariam algo desse tipo. Na cidade, porém, vi pessoas jogarem pedras em cães e os xingarem, mesmo que eles estivessem apenas passando ou correndo na frente de barracas de frutas ou lojas. Eu ficava muito triste ao ver aquilo. Não era algo "natural" para mim. Aquela época foi a única da minha vida em que me afastei dos cães. Acredito que, sob certos aspectos, foi quando me afastei de mim mesmo.

Como eu ainda era muito novo, a cidade já estava apagando minha "selvageria" natural, assim como apagava a natureza dos cães. Na fazenda, eu podia andar livremente por horas a fio, seguindo os "homens" – meu pai, meu avô ou os outros trabalhadores –, e sempre tinha os cães comigo. Não havia lugar aonde eu não pudesse chegar caminhando. Mas na cidade minha mãe temia que fôssemos sozinhos até a esquina. É claro que ela temia os seqüestradores, molestadores – os monstros da cidade. O único momento em que eu me sentia "livre" novamente era nos finais de semana, quando voltávamos para a fazenda. Mas eles sempre pareciam curtos demais.

Lembro-me de uma coisa boa na cidade: foi onde vi o primeiro cão de raça pura. Havia um médico que vivia em nosso bairro. Ele se chamava dr. Fisher. Ele estava passeando com sua setter irlandesa – o primeiro cão de raça pura que vi na vida – e, quando contemplei seus pêlos marrons e lisos, fiquei deslumbrado. Ela era muito bem cuidada e bastante diferente dos vira-latas que eu estava acostumado a ver. Não conseguia desviar o olhar do animal e pensava: "Preciso ter essa linda cadela!" Segui o dr. Fisher para saber onde ele morava. Comecei a segui-lo todos os dias, observando-o passear com a cadela. Certo dia ela pariu uma ninhada. Foi o suficiente. Reuni coragem para me apresentar ao dr. Fisher e lhe perguntei: "O senhor acha que pode me dar um dos filhotinhos?" Ele olhou para mim como se eu fosse maluco. Ali estava eu, um desconhecido, uma criança, pedindo que ele me desse um valioso filhotinho de raça pura, pelo qual as pessoas ricas pagariam centenas de dólares. Mas, mesmo assim, acho que ele percebeu em meu olhar que eu estava falando sério. Eu queria muito um daqueles filhotinhos! Depois de me encarar por alguns minutos, respondeu: "Talvez". Talvez mesmo! Dois anos depois, ele finalmente me presenteou com um filhote de uma nova ninhada. Dei a ela o nome de Saluki, e ela cresceu e se tornou muito bonita e completamente fiel. Foi minha companhia constante por quase dez anos e me ensinou uma lição que tem sido muito importante para o meu trabalho com os cães e seus donos. Da fazenda ou da cidade, husky siberiano, pastor alemão ou setter irlandês, um animal de raça pura é, acima de qualquer coisa, um cão comum vestindo uma roupa de marca. Mais adiante falarei por que acho que há pessoas demais culpando a "raça" pelos problemas comportamentais dos cães. A doce Saluki me ensinou que lindos cães de raça e vira-latas de aparência engraçada são a mesma coisa sob a pele – *antes de mais nada, são cachorros.*

Apesar da presença de Saluki, eu não me entrosava muito bem com as crianças da escola. Para começar, todas eram crianças da cidade, nascidas e criadas naquele tipo de vida. Desde o primeiro dia, ficou claro para mim que a maneira como se sentiam em relação à vida delas não tinha nada a ver com a maneira como eu me sentia em relação à minha. Eu não fazia julgamentos acerca de melhor ou pior, só percebia que não tínhamos muito em comum. Mas, como um bom animal de matilha, percebi que, se quisesse dar certo na cidade, alguém teria de mudar de comportamento, e obviamente não seriam as outras crianças. Elas eram "a matilha", por isso tentei me entrosar e me adaptar. Tenho de admitir que fingi muito bem. Eu me relacionava com elas, íamos à praia, jogávamos beisebol e futebol, mas no fundo eu sabia que estava fingindo. Não era como na fazenda, onde perseguia sapos aqui e ali, prendia vaga-lumes em frascos de vidro para soltá-los depois, ou simplesmente ficava sentado sob as estrelas, ouvindo a canção dos grilos. A natureza sempre me oferecera algo novo a aprender, algo para pensar. Os esportes só serviam para gastar energia e para me adaptar.

A verdade é que aqueles anos na fazenda ficaram cravados na minha alma. O único lugar em que eu era realmente feliz era ao ar livre, na natureza, sem paredes de concreto, sem ruas e prédios para me podarem. Eu estava sufocando minha alma na tentativa de ser aceito, e toda aquela energia e frustração em excesso tinham de ir para algum lugar. Logo elas se transformaram em agressividade – mas grande parte da minha raiva parecia estourar em casa. Comecei a brigar com minhas irmãs e com minha mãe. Meus pais foram sábios: matricularam-me num curso de judô. Foi uma maneira perfeita de extravasar minha raiva e canalizá-la de forma construtiva e saudável, algo que me ensinou algumas das lições às quais devo meu sucesso hoje em dia.

Aos 6 anos, entrei em uma academia de judô pela primeira vez. Aos 14, já havia ganhado seis campeonatos seguidos. Minha agressividade teve de ser redirecionada de alguma forma, e encontrei o mentor perfeito em meu mestre de judô, Joaquim. Ele acreditava que eu tinha uma qualidade especial: uma "chama interior". Resolveu me ajudar, contando histórias sobre o Japão e sobre como as pessoas de lá também eram ligadas à Mãe Natureza. Ensinou-me técnicas japonesas de meditação – respiração, concentração e o uso do poder da mente para alcançar qualquer objetivo. A experiência me fez lembrar de meu avô e de sua sabedoria natural. Muitas das técnicas que aprendi no judô – determinação, autocontrole, quietude da mente, concentração profunda – são habilidades que ainda uso hoje em dia e que acredito serem cruciais em meu trabalho com cães perigosos e agressivos. Também recomendo muitas dessas técnicas a clientes que precisam aprender a se controlar melhor antes de tentar fazer com que seus cães se comportem. Meus pais não poderiam ter encontrado melhor válvula de escape para mim naquela fase da vida. Foi o judô que me manteve sadio durante aqueles anos, enquanto esperava os finais de semana, quando então podia correr pela fazenda, ir para as montanhas ou caminhar entre os animais de novo. Só me encontrava verdadeiramente comigo mesmo quando estava em contato com a Mãe Natureza ou praticava judô.

El perrero

Quando eu tinha cerca de 14 anos, meu pai começou a trabalhar como fotógrafo para o governo. Ele economizou dinheiro suficiente para comprar uma casa bacana em uma parte muito melhor da cidade. Tínhamos quintal e morávamos a um quarteirão da praia. Foi quando voltei a me sentir bem comigo mesmo e comecei a ver que a missão da minha vida começava a ser moldada. Todos os meus amigos falavam sobre o que queriam ser quando crescessem. Eu não sentia vontade de ser bombeiro, médico, advogado nem nada parecido. Não sabia exatamente o que faria, mas sabia que, se alguma profissão envolvesse cães, era nessa que eu queria trabalhar. Então me lembrei de quando compramos nosso primeiro televisor. Ainda menino, ficava encantado com as reprises de *Lassie* e *Rin Tin Tin*, sempre em preto-e-branco e dubladas em espanhol. Como eu tinha crescido com cães em um ambiente muito natural, sabia, é claro, que Lassie não entendia realmente o que Timmy dizia. Também sabia que os cães geralmente não faziam os atos heróicos realizados toda semana por Lassie e Rin Tin Tin. Quando soube que os animais eram treinados para que tivessem o comportamento controlado, fiquei encantado. Que maravilhoso seria transformar cães comuns em estrelas de cinema! Com meu conhecimento a respeito de cães, instintivamente sabia que podia treiná-los para fazer as mesmas coisas que Lassie e Rin Tin Tin. Esses dois programas de TV inspiraram meu primeiro grande sonho: mudar para Hollywood e me tornar o melhor treinador de cães do mundo. Acabei me tornando algo completamente diferente – mas essa parte da história vem depois.

Ao repetir esse objetivo a mim mesmo, ele me parecia completamente apropriado. Dizer para mim mesmo "Vou trabalhar com cães e ser o melhor treinador do mundo" era como beber um copo d'água após quase ter morrido de sede. Era algo natural, fácil e muito bom. De repente, eu não estava mais em conflito comigo. Conhecia o caminho que trilharia no futuro.

O primeiro passo rumo ao meu objetivo foi conseguir um emprego em uma clínica veterinária. Ela não tinha nada a ver com as clínicas chiques e arrumadas que vemos hoje; era uma mistura de consultório veterinário, canil e *pet shop*. Eu tinha apenas 15 anos, mas os funcionários de lá viram imediatamente que eu não tinha medo dos cães; eu segurava os animais dos quais nem mesmo o veterinário se aproximava. Comecei como ajudante, varrendo o chão e limpando a sujeira que os cachorros faziam. Logo me tornei tosador e depois passei a trabalhar como técnico veterinário. Nessa função, eu segurava o cão e o mantinha calmo enquanto o veterinário aplicava a injeção. Eu cuidava do animal antes de uma cirurgia, limpava-o, fazia o curativo e tudo que fosse necessário.

Foi mais ou menos nessa época – quando eu estava no colegial – que as crianças começaram a me chamar de *el perrero*, "o menino dos cães". Na cidade de Mazatlán, isso não era bem um elogio. Em algumas partes do mundo, as pessoas que sabem se relacionar com os animais são colocadas num pedestal. É só pensar em figuras memoráveis como dr. Dolittle, o "encantador de cavalos", Siegfried e Roy* e até mesmo o "caçador de crocodilos"! Todos eles – personagens de ficção e pessoas de verdade – são heróis culturais pelo talento extraordinário que têm para se comunicar com os animais. Mas no México os cães da cidade eram considerados animais sujos e sem valor – e, como eu andava com eles, conseqüentemente era visto da mesma maneira. Quer sa-

* Dupla de ilusionistas alemães de grande sucesso nos Estados Unidos, cujos *shows*, apresentados por mais de trinta anos em Las Vegas, utilizavam tigres brancos. (N. do E.)

ber se eu me incomodava? Não. Era a minha missão. Acredito que, por ter vindo de um lugar que desvaloriza os cachorros, tenho uma perspectiva mais clara a respeito de como valorizá-los.

A realidade é que, na maior parte do mundo, os cães não são adorados como acontece na América do Norte e na Europa ocidental. Em algumas regiões da América do Sul e na África, eles são tratados como no México – como trabalhadores úteis no campo, mas moradores inúteis na cidade. Na Rússia eles são valorizados, mas em regiões muito pobres vivem em matilhas e são perigosos, até mesmo para os seres humanos. Na China e na Coréia, chegam a ser comidos. Isso pode parecer uma barbárie, mas devemos lembrar que na Índia somos vistos como bárbaros porque comemos carne de vaca, o animal sagrado daquele país! Por ter nascido em uma cultura e ter constituído família em outra, acredito que não é bom julgar outros estilos de vida – pelo menos não sem antes fazer um esforço para entender as atitudes e os hábitos da cultura em questão. Quando cheguei aos Estados Unidos, fiquei muito surpreso com a maneira como os cães eram tratados!

Atravessando a fronteira

Eu tinha 21 anos quando o desejo de viver meu sonho me venceu. Lembro muito bem. Era dia 23 de dezembro; eu me aproximei de minha mãe e disse: "Vou para os Estados Unidos. Hoje". Ela respondeu: "Você só pode estar louco! É quase Natal! E só temos cem dólares para lhe dar!" Eu não falava inglês. Partiria sozinho. Minha família não conhecia ninguém na Califórnia. Alguns tios meus haviam se mudado para Yuma, Arizona, mas não era lá meu destino. Meu objetivo era Hollywood. E eu sabia que a única maneira de chegar lá era por Tijuana. Minha mãe brigou comigo, tentou fazer com que eu mudasse de idéia. Mas não consigo explicar – a necessidade de ir para os Estados Unidos *naquele momento* era enorme. Sabia que precisava ir.

Isto já foi publicado em algum lugar, e não me envergonho de dizer: entrei nos Estados Unidos ilegalmente. Agora tenho meu visto de permanência, paguei uma bela multa por entrar no país de maneira ilegal e estou tentando conseguir a cidadania. Não há nenhum outro país onde eu gostaria de morar além dos Estados Unidos. Realmente acredito que é o maior país do mundo. Sinto-me abençoado por viver e por criar meus filhos nele. Mas, para a classe pobre e proletária mexicana, não existe outro modo de entrar que não seja ilegalmente. É impossível. O governo mexicano se preocupa com quem você conhece e com quanto dinheiro você tem. É preciso pagar grandes quantias aos oficiais para conseguir um visto legal. Minha família nunca teria tanto dinheiro. Por isso, com apenas cem dólares no bolso, fui para Tijuana para descobrir como poderia atravessar a fronteira.

Nunca tinha estado em Tijuana antes. É um lugar violento. Há bares e botecos repletos de bêbados, traficantes de drogas e criminosos – pessoas perigosas, que estão sempre prontas para tirar vantagem de quem tenta cruzar a fronteira. Vi coisas terríveis por lá. Felizmente, eu tinha um amigo que trabalhava no Señor Frog's, um bar muito famoso de Tijuana. Ele me deu abrigo nos fundos do estabelecimento por duas semanas, enquanto eu pensava numa maneira de fazer a travessia.

Lembro que chovia quase todos os dias, mas diariamente eu saía e analisava a situação na fronteira. Queria guardar meus cem dólares, por isso tentei atravessar sozinho – três vezes, sem sucesso.

Depois de duas semanas, estava me preparando para tentar mais uma vez. Eram onze horas da noite. Chovia, fazia frio e ventava. Do lado de fora de uma barraca que servia café, onde muitas pessoas estavam reunidas tentando se aquecer um pouco, um cara magro – que chamamos de "coiote" – se aproximou de mim e disse: "Ei, fiquei sabendo que você quer atravessar". Confirmei. Ele respondeu: "Ok. Eu cobro cem dólares". Senti um arrepio. Era surpreendente o fato de ele querer exatamente a quantia que eu levava. A única coisa que ele disse foi: "Siga-me. Vou levá-lo a San Ysidro". Então o segui.

Corremos parte do trajeto, até ficarmos exaustos. Meu coiote me mostrou luzes vermelhas a distância, indicando a localização dos *Migras* (os guardas patrulheiros da fronteira). Ele disse: "Ficaremos aqui até eles saírem de lá". Estávamos em um rio. Esperei a noite toda com a água batendo no peito. Estava com muito frio, congelando, mas não me importava. Finalmente, meu coiote disse: "Certo. Vamos". Então corremos em direção ao norte pela lama, atravessamos um ferro-velho, uma rodovia e entramos num túnel. Do outro lado havia um posto de gasolina. Meu guia disse: "Vou conseguir um táxi que o levará a San Diego". Eu nunca tinha ouvido falar de San Diego. Os únicos lugares que eu conhecia eram San Ysidro e Los Angeles. O coiote deu vinte dólares ao taxista, dos cem que eu lhe havia entregado, me desejou boa sorte e foi embora. Felizmente o motorista falava espanhol, porque eu não sabia uma palavra em inglês. Ele me levou a San Diego e me deixou lá – encharcado, sujo, faminto, sedento, com as botas cobertas de lama.

Eu era o homem mais feliz do mundo. Estava nos Estados Unidos.

San Diego

Primeiro, havia coleiras – coleiras em toda parte! Tinha visto coleiras na cidade quando vivia no México, mas nada comparado às coleiras de couro e náilon que os norte-americanos usavam. Eu olhava ao redor e pensava: "Onde estão os cães da cidade?" Na verdade demorei bastante para me acostumar com a "lei das coleiras". Na fazenda do meu avô, o mais próximo que tínhamos das coleiras de couro eram pedaços grossos de corda que amarrávamos ao redor do pescoço dos cachorros mais difíceis, até que estabelecêssemos nossa posição de líderes. Depois os devolvíamos à natureza – sem coleira. As coleiras eram para os teimosos, uma vez que os cães bem-comportados da fazenda sempre faziam o que mandávamos. Mas as coleiras requintadas eram apenas o início de meu choque cultural. Como novo imigrante naquele grande país, eu encontraria mais algumas bombas.

Eu tinha apenas alguns dólares no bolso quando cheguei aos Estados Unidos, e não falava inglês. É claro que meu sonho era o mesmo em qualquer idioma: eu estava ali para ser o maior treinador de cães do mundo. As primeiras palavras que aprendi a dizer em inglês foram: "Você tem uma vaga de emprego?"

Após viver nas ruas de San Diego por mais de um mês, caminhando pelas calçadas com as mesmas botas de quando chegara, consegui meu primeiro emprego – por incrível que pareça, na área que havia escolhido! Tudo aconteceu tão rapidamente que só podia ser um milagre. Eu não sabia onde procurar emprego de "treinador de cães" – nem sequer conseguia entender o que estava escrito na lista telefônica. Mas um dia, ao caminhar por um bairro – ainda animado por estar nos Estados Unidos –, vi a placa de um *pet shop*. Bati à porta e consegui unir as palavras para perguntar às duas proprietárias do lugar se elas tinham uma vaga de emprego. Para minha surpresa, elas me contrataram na hora.

Lembre-se, eu não falava inglês, vivia nas ruas e minhas roupas estavam gastas e sujas. Por que elas confiariam em mim?

Mas elas me deram o emprego e também 50% dos lucros de todos os negócios que eu fechasse. Metade dos lucros! Depois de alguns dias, elas ficaram sabendo que eu não tinha onde morar e me deixaram viver ali, no *pet shop*.

Até hoje digo que essas duas mulheres são meus anjos da guarda norte-americanos. Elas confiaram em mim e agiram como se me conhecessem a vida toda. Foram colocadas em meu caminho por um motivo, e eu lhes serei eternamente grato, apesar de não lembrar seus nomes.

Se alguém lhe disser que as pessoas nos Estados Unidos não têm bom coração, não acredite. Eu não estaria aqui hoje sem a ajuda e a confiança de muitas pessoas que abriram os braços para mim. Essas duas bondosas senhoras de San Diego foram as primeiras, mas não as únicas. Não deixo de pensar um só dia em como sou abençoado por ter tido as pessoas certas em meu caminho.

No *pet shop*

Ali estava eu, com 21 anos, quase sem falar inglês, trabalhando em um *pet shop*. Um *pet shop*! Meu avô morreria de rir só de pensar em uma coisa dessas! Os cães da fazenda limpavam uns aos outros e se banhavam no rio apenas se estivesse muito quente. A idéia que eles tinham de banho era rolar na lama! Meu avô só dava banho de mangueira em um cachorro se ele estivesse com pulgas ou outros parasitas, ou se o pêlo estivesse muito embaraçado. Acredite ou não, alguns donos de cães no México chegavam a sacrificar seus animais se eles dessem muito trabalho. As pessoas não demonstravam piedade: simplesmente se livravam do cão e arrumavam um que não fosse tão "imperfeito". Até mesmo a limpeza que eu fazia nos cachorros no consultório veterinário de Mazatlán era parte do tratamento médico. O fato de os donos de cães gastarem dinheiro – muito dinheiro, na minha opinião – para lavar, tosar e embelezar seus cães com freqüência foi algo revelador para mim. Foi minha primeira análise dos norte-americanos em relação a seus animais de estimação. Quando eu estava no México, já tinha ouvido falar que os norte-americanos cuidavam de seus cães como seres humanos, mas agora estava vendo com meus próprios olhos. No começo fiquei surpreso. Parecia que nada era suficiente para os cachorros nos Estados Unidos!

Por mais estranho que o conceito de *pet shop* fosse para mim, quando comecei a trabalhar lá, adorei. As donas eram muito gentis comigo, e logo passei a ser reconhecido como a única pessoa capaz de acalmar os animais arredios – as raças mais fortes ou aquelas que faziam as pessoas se assustarem. Os clientes começaram a pedir que eu os atendesse quando viram como eu interagia com os animais, mas eu ainda não entendia por que os cães se comportavam melhor comigo do que com os outros tosadores, ou mesmo com seus donos. Acho que estava *começando* a entender a diferença, mas ainda não conseguia explicá-la com palavras.

O *pet shop* de San Diego tinha muito mais recursos do que eu estava acostumado a ver no México. Havia máquinas de cortar pêlos, xampus com aromas e secadores especialmente feitos para serem usados nos cães. Maravilhoso! Como eu havia sido treinado na clínica veterinária de Mazatlán, nunca tinha usado uma máquina de cortar pêlos, mas era muito habilidoso no uso da tesoura. As donas do *pet shop* de San Diego ficaram surpresas ao ver a rapidez com que eu lidava com uma tesoura. Por isso, passavam-me todos os cocker spaniels, poodles, terriers, todos os cães mais difíceis de tosar – e que tinham as tosas mais caras. O *pet shop* cobrava cerca de 120 dólares pela tosa de um poodle médio – e eu ficava com 60 dólares! Era maravilhoso. Eu gastava pouco dinheiro por dia – comia cachorros-quentes de 99 centavos nas lojas de conveniência, no café-da-manhã e no jantar. O restante do dinheiro eu guardava. Até o final do ano, planejava ter dinheiro suficiente para me mudar para Hollywood – um passo mais perto de meu sonho.

Questões de comportamento

Fiquei surpreso ao encontrar cães com coleiras e penteados caros quando cheguei aos Estados Unidos, mas, de certo modo, a "onda de Hollywood", com a qual eu me acostumara vendo filmes e programas de TV, tinha me preparado para isso. Foi como ir ao circo pela primeira vez, após todo mundo ter tentado lhe explicar como as coisas são por lá. Houve algo, entretanto, que me chocou mais que qualquer outra coisa: os problemas comportamentais bizarros que muitos cães demonstravam.

Mesmo depois de passar anos ao lado dos caninos, cães com o que eu chamo de "questões" eram algo completamente desconhecido para mim. Durante o tempo que trabalhei no *pet shop*, vi os cachorros mais lindos – exemplares maravilhosos de suas raças, com olhos brilhantes, pêlos macios e corpos saudáveis e bem alimentados. Mas eu podia perceber, só de olhar para eles, que não tinham a mente sã. Quando alguém cresce ao redor de cães, é capaz de perceber automaticamente se os níveis de energia dos animais são normais. O estado de espírito saudável e equilibrado pode ser reconhecido em qualquer criatura – ele é o mesmo para um cavalo, uma galinha, um camelo e até uma criança. Mas eu pude ver, desde o começo, que aqueles cães demonstravam o que parecia ser uma energia muito estranha e *pouco natural*. Mesmo na clínica veterinária em Mazatlán, eu nunca tinha encontrado cães tão neuróticos, irritáveis, medrosos e tensos. E as reclamações dos donos! Eu não precisava saber muito inglês para entender que aqueles cães eram agressivos, obsessivos e deixavam seus donos malucos. Pelo modo como algumas pessoas agiam, parecia que os cachorros mandavam na vida delas. O que estava acontecendo?

Na fazenda do meu avô, nenhum cão se comportava mal e ficava sem punição, nem tentava ser dominador com as pessoas. E não era por causa de maus-tratos ou punição física. Era porque os seres humanos sabiam que eram seres humanos, e os cães sabiam que eram cães. Estava bem claro quem mandava e quem obedecia. Essa simples equação tem feito o relacionamento entre cães e seres humanos evoluir há milhares de anos, desde que o primeiro ancestral de cachorro entrou no acampamento de um ancestral de ser humano e percebeu que conseguiria alimento ali com muito mais facilidade, sem ter de caçar o dia todo. Os limites entre cães e seres humanos eram simples – e óbvios. Os cães que conheci no México eram naturalmente equilibrados. Não tinham problemas de comportamento, tais como agressividade ou manias. Geralmente eram magros e sujos, feios de olhar, mas pareciam viver na harmonia planejada pela Mãe Natureza e por Deus. Interagiam naturalmente com seus semelhantes e com as pessoas. Então, o que estava acontecendo de errado com aqueles lindos cães nos Estados Unidos?

O fato de os cachorros norte-americanos terem "questões" me deixou ainda mais surpreso quando me mudei para Los Angeles e passei a trabalhar no canil de um estabelecimento em que se treinavam cães. Eu queria aprender a ser treinador, e fiquei sabendo que aquele era o melhor lugar. Sabia que as pessoas ricas pagavam caro para deixar seus cães naquele conceituado estabelecimento. Elas deixavam os animais ali por duas semanas, para que aprendessem a obedecer a comandos como "sentado", "parado", "venha" e "em pé".

Quando comecei a trabalhar nesse lugar, fiquei chocado com a condição em que certos cães chegavam ali. Fisicamente, é claro, todos eram lindos – bem alimentados, bem tosados e com pêlos que brilhavam de tão saudáveis. Emocionalmente, no entanto, muitos deles eram um desastre completo. Alguns eram medrosos e covardes, outros eram irritados e agressivos. Ironicamente, os donos em geral levavam os cães para serem treinados na esperança de que estes se livrassem do comportamento neurótico. Acreditavam que, quando o animal aprendesse a obedecer a comandos, o medo, a ansiedade ou qualquer problema de comportamento desapareceria milagrosamente. Esse engano é comum e perigoso. É verdade que, para um cão naturalmente calmo e feliz, o treinamento tradicional pode ajudá-lo a se ajustar e tornar a vida de todos melhor. Mas, para um cão nervoso, tenso, excitado, medroso, agressivo, dominador, assustado ou fora de controle, o treinamento tradicional pode, por vezes, fazer mais mal que bem. Isso ficou claro para mim logo no primeiro dia de trabalho.

Minha função no estabelecimento era trancar os cães em canis separados até o horário das "aulas" diárias, e então levá-los aos treinadores. O isolamento a que esses cães problemáticos eram submetidos nos canis, entre as sessões, geralmente aumentava sua ansiedade. Infelizmente, como o estabelecimento só era pago se o cão já estivesse obedecendo a comandos quando o dono viesse buscá-lo, criar medo entre o comandante e o comandado era um recurso usual. Alguns cães saíam com um estado mental pior do que quando tinham chegado. Vi cães obedecerem aos comandos do treinador abaixados, de orelhas para trás, tremendo, com o rabo entre as pernas – linguagem corporal que deixa bem claro: "Só estou obedecendo porque estou morrendo de medo!" Acredito que os treinadores desse estabelecimento eram bons profissionais, e não havia nada de cruel ou desumano acontecendo ali. Mas, na minha opinião, havia um engano enraizado a respeito das necessidades básicas de um cão, a respeito do que a mente canina *realmente precisa* para se tornar equilibrada. Isso porque o treinamento tradicional de cães tem como base a psicologia humana. Não aborda a natureza canina.

Continuei trabalhando naquele estabelecimento por acreditar que precisava aprender a treinar cães. Afinal, era para isso que eu estava ali. Mas não era o sonho que eu tinha imaginado. Desde que cheguei ali, percebi que aquele tipo de treinamento podia ser útil aos seres humanos, mas às vezes era prejudicial aos cães. Pensando bem, foi nessa época que meu sonho "original" passou a tomar outra forma. Mais uma vez, grande parte da mudança ocorreu por acaso. Apesar de eu preferir pensar que não foi o acaso, mas o destino.

Nasce o "jeito Cesar"

Enquanto trabalhava ali, mais uma vez passei a ser reconhecido como o rapaz que lidava com as raças mais fortes e agressivas, como pit bulls, pastores alemães e rottweilers. Sou louco por essas raças; sua força bruta me inspira. Outro rapaz que trabalhava ali também sabia lidar muito bem com elas, mas não gostava de trabalhar com os animais nervosos ou ansiosos. Eu acabava cuidando deles – geralmente dos casos bem drásticos. Em vez de gritar com um cão agressivo, como os outros funcionários faziam, eu me aproximava dele silenciosamente. Não conversava, não o tocava, não olhava em seus olhos. Na verdade, quando deparava com um animal desses, eu abria o portão e me virava, como se estivesse prestes a ir embora. Por fim, como os cães são naturalmente curiosos, o animal se aproximava de mim. Só então eu colocava a coleira nele. Nesse ponto as coisas ficavam fáceis, porque eu já tinha estabelecido uma dominação calma e assertiva sobre ele, da mesma maneira como um cão faria na natureza. Inconscientemente, eu estava começando a aplicar a psicologia canina que havia aprendido durante os vários anos que passara observando os cães na fazenda do meu avô. Eu estava interagindo com os cachorros da mesma maneira como eles interagiam uns com os outros. Assim nasciam os métodos de reabilitação usados por mim hoje em dia, apesar de, na época, eu não conseguir explicar com palavras o que estava fazendo – nem em inglês nem em espanhol. Tudo que eu fazia era instintivo para mim.

Outro "acidente" crucial que ocorreu nesse estabelecimento foi que eu comecei a ver o "poder da matilha" como forma de reabilitar um cão desequilibrado. Um dia, saí ao quintal segurando dois rottweilers, um pastor alemão e um pit bull de uma só vez. Eu era o único ali que tentava algo desse tipo. Os outros funcionários me consideravam maluco. Na verdade, eu tinha ordens de *não* trabalhar com os cães em grupos; tal atitude irritava a gerência. Mas, assim que descobri o método, vi que era uma maneira eficaz de trabalhar com um cão problemático. Descobri que, quando um animal novo e instável era incluído num grupo já estabelecido, a matilha influenciava o recém-chegado a adotar um comportamento equilibrado. Minha função era cuidar para que a interação entre os cães veteranos e os novos não fosse muito tensa. Contanto que eu monitorasse e detivesse qualquer comportamento agressivo, dominador ou defensivo de cada um dos lados, o novo cão acabava se acostumando com os outros. Entre os seres humanos, assim como entre os cães – na verdade, em quase todas as espécies que andam em grupos –, está na genética a disposição para se adequar, para se dar bem com os semelhantes.[1] Eu estava apenas explorando essa predisposi-

[1] Robert M. Saponsky, "Social Status and Health in Humans and Other Animals", *Annual Review of Anthropology*, 33, 2004, pp. 393-414.

ção natural. Ao trabalhar com cães em matilhas, percebi que eles podiam acelerar o processo de cura uns dos outros muito mais rapidamente do que um treinador conseguiria.

Logo passei a ser reconhecido no trabalho como alguém muito esforçado. Mas, quanto mais desenvolvia minhas idéias sobre a psicologia canina, mais infeliz me tornava trabalhando ali. Acho que não escondi meu descontentamento muito bem. Um cliente, um empresário bem-sucedido que se surpreendia com a maneira como eu lidava com seu golden retriever, me observou por um tempo e ficou encantado com minha habilidade e com minha ética de trabalho. Certo dia ele me abordou e disse: "Você não parece muito feliz aqui. Quer trabalhar comigo?" Perguntei que tipo de trabalho realizaria, pensando, obviamente, que teria algo a ver com cães. Fiquei um pouco frustrado quando ele disse: "Você vai lavar limusines. Tenho uma frota delas".

Puxa! Ótima oferta, mas eu tinha ido para os Estados Unidos para ser treinador de cães. Porém ele era um homem impressionante – o tipo de empresário forte e confiante que eu desejava me tornar um dia.

Então ele deixou a proposta mais atraente ao dizer que, trabalhando com ele, eu teria um carro. Na época eu não tinha dinheiro para comprar um carro, o que em Los Angeles era equivalente a não ter pernas. Demorei duas semanas para decidir, mas, por fim, aceitei. Mais uma vez, um anjo da guarda que nem sequer me conhecia abriria caminho para a próxima fase de minha jornada.

Boca a boca

Meu novo patrão era exigente, mas justo. Ele me ensinou o serviço e me disse como eu deveria lavar as limusines – e gostava de vê-las brilhando. Era um trabalho físico duro e pesado, mas eu não me importava, porque era – e ainda sou – perfeccionista. Seria um lavador de carros, mas o melhor que existia. Agradeço a esse homem por me ensinar tanto a respeito de como um negócio sólido e rentável deve ser dirigido.

Nunca vou esquecer o dia em que peguei o carro que ele me emprestou. Sim, era apenas um carro – um Chevy Astrovan 88 branco – e não, não era meu, mas simbolizou para mim a primeira vez que senti ter "vencido" nos Estados Unidos. Foi também o dia em que comecei meu próprio negócio de "treinamento de cães", a Academia Canina Pacific Point. Eu tinha um logotipo, uma jaqueta e alguns cartões de visita feitos de última hora, mas, acima de tudo, tinha uma visão clara do que queria me tornar. Meu sonho já não era ser o melhor treinador de cães para a TV. Eu queria ajudar mais cães como as centenas de animais com problemas que eu tinha encontrado desde minha chegada ao país. Sentia que minha criação e meu conhecimento a respeito da psicologia canina poderiam oferecer aos cachorros e a seus donos a oportunidade de melhores relacionamentos e mais esperança para o futuro. Ficava agoniado ao saber que muitos dos animais que "fracassavam" no treinamento comum acabavam sendo mortos, caso seus donos decidissem que "não os agüentavam mais". Percebi que esses cães mereciam viver tanto quanto eu. Meu otimismo em relação ao futuro vinha de uma forte crença de que havia muitos cães nos Estados Unidos que precisavam da minha ajuda. Graças à generosidade de meu novo empregador, minha visão começou a tomar forma mais rapidamente do que eu esperava.

O boca a boca é uma coisa impressionante. Mesmo em uma cidade tão grande e diversa como Los Angeles, o rumor ou a notícia mais nova se espalha como fogo. Felizmente para mim, meu chefe conhecia muitas pessoas e não se cansava de elogiar minhas qualidades. Ele telefonava para seus amigos e dizia: "Conheço um rapaz mexicano que tem muito jeito com cães. Traga seus animais". Então os amigos dele começaram a levar seus cães-problema até mim. Ficavam felizes com os resultados e contavam aos amigos. Logo, minha Academia Canina Pacific Point tinha sete dobermanns e dois rottweilers, com os quais eu subia e descia as ruas de Inglewood, uma pequena cidade na região de Los Angeles. (Devia ser uma cena engraçada.)

Depois disso, o negócio passou a ir de vento em popa.

O que eu fazia que deixava as pessoas tão impressionadas? Como, depois de apenas alguns anos nos Estados Unidos, eu já tinha um bom negócio, sem ter feito sequer um anúncio? Afinal de contas, há centenas de treinadores de cães e behavioristas licenciados no sul da Califórnia, e tenho certeza de que muitos deles são ótimos no que fazem. Você pode achar que um deles é melhor que eu para o que você deseja no relacionamento com seu cão. Só posso falar por meus clientes, e entre eles eu era conhecido como "o cara mexicano que faz mágica com os cachorros". Os pontos fortes da minha técnica eram energia, linguagem corporal e, quando necessário, um toque físico rápido com a mão em concha, que não machuca os cães, mas é parecido com a sensação de uma "leve mordida" dada por um cão dominante ou pela mãe do animal. Eu nunca gritava, batia ou "castigava" os animais por estar com raiva. Simplesmente corrigia, da mesma maneira como um líder de matilha corrige e educa um seguidor. Corrigia e seguia adiante. Não havia nada de novo nas técnicas que eu estava desenvolvendo – elas surgiram naturalmente, de minhas observações sobre a natureza. Não estou dizendo que não havia nenhum outro treinador nos Estados Unidos testando os mesmos métodos. Mas eles pareciam satisfazer uma necessidade desesperada de meus clientes de Los Angeles, e por isso as pessoas continuavam me procurando.

Um dia, em 1994, eu estava na casa de uma cliente trabalhando com Kanji, uma rottweiler problemática. Kanji vinha progredindo muito, e sua dona, que estava ligada ao ramo do entretenimento, falava muito sobre mim na cidade. Quando olhei para fora, um Nissan 300C marrom estacionou e uma linda mulher saiu do carro e caminhou de modo confiante em minha direção. Fiquei olhando para ela, tentando me lembrar de onde a conhecia, mas não me lembrava de jeito nenhum. Caminhando ao lado dela – não muito confiante – estava um rottweiler hesitante e tímido (Saki, que era um dos filhotes de Kanji).

A mulher me perguntou se eu poderia treinar seu cão, e três semanas depois fui até sua casa. E quem atendeu a porta foi o ator Will Smith! Eu quase perdi a voz. Agora me lembrava de onde conhecia aquela mulher: do filme *Um detetive abaixo da lei*. Minha cliente era Jada Pinkett Smith!

Certo, vamos organizar os pensamentos: estou nos Estados Unidos há três ou quatro anos, tenho um negócio de sucesso e hoje estou trabalhando com o cão de Jada Pinkett e Will Smith?

Jada e Will explicaram que Jay Leno tinha acabado de lhes dar dois novos rottweilers, e os cães precisavam de um pouco de treinamento, assim como Saki. Um pouco de treinamento era apelido! Os cães eram muito encrenqueiros. Felizmente, Jada foi uma das pessoas especiais que entenderam minhas técnicas e filosofias rapidamente. Ela é a dona de cão ideal – quer o melhor para seus animais e faz qualquer coisa para garantir o bem-estar deles.

Aquele dia foi o início de uma amizade que continua até hoje. Jada e Will me recomendaram a seus amigos da "elite de Hollywood", como Ridley Scott, Michael Bay, Barry Josephson e Vin Diesel. Mas esses não são, nem de longe, os maiores presentes que Jada me deu. Ela me acolheu. Contratou uma professora que, durante um ano, me ajudou a melhorar meu inglês. Acima de qualquer coisa, ela acreditou em mim.

Tornar-me conhecido pelo que faço sempre foi meu sonho, mas todo grande prêmio tem um preço. Minha vida se tornou muito mais complicada, com dúvidas sobre em quem confiar e com quem tomar cuidado, saber quais contratos são bons e quais são ruins – coisas que não aprendi na fazenda em Ixpalino. Quando tenho questões que me preocupam, sei que posso contar com Jada. Ela é uma das pessoas mais generosas e também uma das mais inteligentes que já conheci. Eu lhe pergunto: "Jada, o que está havendo? O que devo fazer?", e ela me acalma e diz: "Certo, Cesar, é o seguinte..." Sempre tenho a sensação de que ao meu lado há alguém que sabe muito mais sobre a vida do que eu e sempre se dispôs a reservar alguns momentos de sua atribulada rotina para me ajudar. Jada tem sido mais que uma cliente. Ela é uma mentora, uma irmã e mais um de meus preciosos anjos da guarda.

Graças a ela, melhorei meu inglês. Fiquei mais animado com minha nova e clara missão: como eu costumo dizer, "reabilitar cães e treinar pessoas". Comecei um programa autodidata, lendo tudo que conseguia a respeito de psicologia canina e comportamento animal. Dois livros que me inspiraram e me ajudaram muito foram *The Dog's Mind*, do dr. Bruce Fogle, e *Dog Psychology*, de Leon F. Whitney, doutor em medicina veterinária. Aprendi muito com esses e outros livros e integrei as informações obtidas ao que eu já sabia. Na minha opinião, de acordo com as minhas observações, a Mãe Natureza é a maior mestra. Mas eu estava aprendendo mais que nunca a pensar de modo crítico e, mais importante, estava encontrando maneiras de articular as coisas que eu entendia intuitivamente. Por fim, consegui expressar minhas idéias de modo claro e em inglês.

Nessa época eu já conhecia minha futura esposa, Ilusion, que tinha apenas 16 anos quando começamos a namorar. Certo dia um amigo me disse que havia uma lei nos Estados Unidos que proibia um homem mais velho de namorar uma garota tão jovem, então fiquei assustado e me afastei. Temi ser deportado e terminei o namoro. Ela ficou arrasada. Segura de que eu era o homem certo, ela me procurou no dia em que completou 18 anos. Tivemos um relacionamento complicado durante os primeiros anos de casamento e depois do nascimento de nosso filho Andre. Eu ainda estava preso ao meu mundo machista de mexicano. Acreditava que as únicas coisas que importavam eram eu e minha carreira – e que Ilusion deveria concordar ou calar-se. Ela não fez nada disso e me abandonou. Quando ela foi embora e eu percebi que era de verdade, tive de me olhar no espelho pela primeira vez na vida. Não queria perdê-la. Não queria vê-la casada com outro homem – e vê-lo criar nosso filho. Ilusion disse que voltaria para mim com duas condições: se fizéssemos terapia de casal e se eu me comprometesse a ser um companheiro mais completo no relacionamento. Relutantemente, concordei. Achava que não tinha muita coisa a aprender. Estava enganado. Ilusion me reabilitou da mesma maneira que eu reabilito os cães desequilibrados. Ela me fez perceber o enorme presente que a esposa e os filhos são, e que todos os membros da família têm sua função. Hoje em dia, considero Ilusion, Andre e Calvin minhas maiores bênçãos sobre a terra.

Enquanto eu lutava para ser um parceiro melhor no casamento, tinha mais trabalho do que conseguia dar conta, graças a pessoas como meu chefe, na empresa de aluguel de limusines, e a clientes como Jada. As organizações de resgate começaram a pedir que eu as ajudasse a salvar os cães considerados "casos perdidos" antes de serem sacrificados, e logo me vi com uma matilha de cachorros reabilitados, porém órfãos. Precisava de mais espaço, por isso aluguei uma propriedade em ruínas no distrito comercial de South Los Angeles. Ilusion e eu fizemos uma reforma e a transformamos no Centro de Psicologia Canina, um tipo de moradia permanente ou clínica de "terapia em grupo" para os cães. Com tudo isso, continuei tentando encontrar maneiras de explicar meus métodos e minhas filosofias aos donos de cães.

Humanos que amam demais

Quando eu era criança no México e assistia a *Lassie* e *Rin Tin Tin*, sempre me divertia com as aventuras dos cães *superstars*, mas achava que *todas as pessoas que assistiam* percebiam se tratar de fantasias de Hollywood! Quando Lassie latia quatro vezes e Timmy perguntava: "O que foi, Lassie? Fogo? A casa... não, o celeiro está pegando fogo? Obrigado, garota, vamos lá!", eu sabia – e acreditava que todo mundo sabia – que cães de verdade não agem assim. Quando cheguei aos Estados Unidos, fiquei chocado ao descobrir que muitos donos de cães inconscientemente acreditavam que Lassie *realmente* entendia o que Timmy dizia! Aprendi que a percepção geral a respeito dos cães era de que eles eram como Lassie: basicamente, seres humanos em pele de cachorro. Demorei para compreender, mas, depois de estar no país por algum tempo, vi que a maioria dos donos de cães, de certo modo, acreditava que seus animais – fossem cães, gatos, pássaros ou peixes – eram seres humanos com outras roupas. E os tratava assim.

Depois de viver cinco anos nos Estados Unidos, finalmente percebi: era *esse* o problema! Os cães norte-americanos eram tão problemáticos porque seus donos os consideravam seres humanos. *Não era permitido que eles fossem animais!* Na terra da liberdade – onde todo mundo deve alcançar seu potencial ilimitado –, era isto que os cães não tinham: liberdade. Certamente eram mimados: tinham o melhor alimento, as melhores casas, o melhor tosador e grande quantidade de amor. Mas não era isso que queriam. *Eles simplesmente queriam ser cães!*

Pensei no que havia aprendido no México, onde passava horas intermináveis observando os melhores treinadores de cães do mundo: os próprios cães. Pensando em meu relacionamento natural com eles, comecei a perceber como poderia ajudar os cães a se tornarem mais felizes e saudáveis – e ajudar os donos também. Meu método não é lavagem cerebral. Eu não criei meu método: foi a Mãe Natureza que o criou. Minha fórmula é simples: para ter um cão saudável e equilibrado, o ser humano deve mesclar exercícios, disciplina e afeto, nessa ordem! A ordem é essencial, e posteriormente explicarei mais a respeito.

Infelizmente, a maioria dos donos de cães não segue essa ordem corretamente. Eles colocam o afeto em primeiro lugar. Na verdade, muitos dão somente afeto aos animais. Sei que eles não fazem por mal. Mas as boas intenções podem causar danos aos animais. Chamo esses donos de "humanos que amam demais".

Você pode estar lendo isto e pensando: "Dou muito afeto a meu cãozinho porque ele é meu bebê! E ele está bem! Não demonstra problemas de comportamento". Realmente, pode ser que você tenha um cão dócil e de natureza passiva, que nunca lhe trará problemas. Pode enchê-lo de amor e não receber nada em troca além de amor animal incondicional. Pode se considerar o dono de cachorro mais sortudo do mundo, com o animal perfeito. Graças a seu cão, você é feliz e sua vida é completa. E eu fico feliz por você. Mas, por favor, tenha em mente que seu cão pode estar perdendo coisas que tornariam a vida *dele* mais feliz e completa. No mínimo, espero que este livro o deixe ciente das necessidades mais específicas de seu cão e que inspire você a criar maneiras criativas de ajudá-lo.

O que estou prestes a partilhar é a verdade a respeito da minha experiência. São coisas que eu mesmo vivi e aprendi, por trabalhar com cães há mais de vinte anos. Acredito no fundo do coração que minha missão é ajudar os cães e passar minha vida aprendendo tudo que eles podem me ensinar. Vejo minha profissão como um eterno aprendizado. Sou o aluno, e eles são meus mestres. Deixe que eles ensinem a você o que me ensinaram. Eles me ajudaram a entender que as coisas de que os cães realmente precisam nem sempre são aquelas que estamos dispostos a dar.

2

SE PUDÉSSEMOS CONVERSAR COM OS ANIMAIS

A linguagem da energia

Qual é o estilo de comunicação que você usa com seu cão? Você implora que ele vá até você, embora ele se recuse e continue a correr sem parar pela rua atrás do gato do vizinho? Quando ele rouba seu chinelo favorito, você fala com ele como falaria com um bebê? Você grita o mais alto que pode para fazer com que seu cachorro pare de roer os móveis, enquanto ele fica sentado, olhando-o como se você fosse maluco? Se você se encaixa em uma dessas situações, sei que compreende que as técnicas utilizadas não estão funcionando. Você sabe que não pode "conversar como gente adulta" com um cão, mas simplesmente não conhece outra forma de comunicação. Estou aqui para lhe dizer que existe um modo muito melhor.

Você se lembra da história do dr. Dolittle, o homem que conseguia entender a linguagem de qualquer animal que encontrasse? Desde os livros de Hugh Lofting até o filme mudo de 1928, a série do rádio dos anos 30, o musical de 1967, o desenho animado dos anos 70 ou o filme que foi sucesso de bilheteria com Eddie Murphy, essa lenda maravilhosa e seu principal personagem atraem gerações de crianças e adultos. Pense nos incontáveis mundos que seriam revelados se víssemos as coisas como os animais as vêem. Imagine analisar a terra pela visão de um pássaro, passar pela vida em três dimensões, como a baleia, ou "ver" o mundo por meio das ondas sonoras, como os morcegos. Quem nunca sonhou com tais possibilidades? O atrativo da história do dr. Dolittle é que ela traz os animais à vida, em cores e numa tela bem ampla.

O que você diria se eu lhe revelasse que o segredo do dr. Dolittle é mais que apenas ficção?

Talvez você esteja imaginando esse segredo pela perspectiva humana. Você pode estar se perguntando se eu quero dizer que existe um modo *verbal* de se comunicar com seu cão, talvez com o uso de um livro com frases que traduzam a sua língua para a dele. Como seria a língua dele? Traria as palavras *sentado*, *parado*, *venha* e *em pé*? Você teria de gritar as traduções, ou poderia sussurrá-las para ele? Você teria de aprender a ganir e latir? Cheirar o traseiro dele? E como ele responderia? Como você traduziria o que ele está dizendo? Dá para perceber que criar um livro de frases com as línguas cão-ser humano – como é feito um livro de frases inglês-espanhol, por exemplo – seria muito complicado.

Não seria mais simples se existisse um *idioma universal* que *todas* as espécies conseguissem entender? "Impossível", você deve estar dizendo. "Nem mesmo os seres humanos falam o mesmo idioma!" É verdade, mas isso não impede que as pessoas *tentem* há séculos encontrar uma linguagem comum. No mundo antigo, todas as pessoas da classe alta e de boa educação estudavam grego. Assim, poderiam ler e entender os documentos mais importantes. Em certo período da era cristã, qualquer pessoa importante conseguia ler e escrever em latim. Hoje, o inglês está no topo da "cadeia alimentar". Aprendi isso da maneira mais difícil quando cheguei aos Estados Unidos. Se você não nasceu falando inglês, essa é uma língua difícil de aprender – mas todas as pessoas, dos chineses aos russos, a aceitam como o idioma internacional dos negócios. Os seres humanos procuraram outras maneiras de derrubar a barreira do idioma. Por exemplo, se você for cego, independentemente do idioma que fala, pode usar o braile. Se for surdo, pode compreender qualquer pessoa que use a língua de sinais. A matemática e as linguagens de computador atravessam muitas fronteiras lingüísticas e permitem que pessoas que falam idiomas diferentes consigam facilmente se comunicar, graças ao poder da tecnologia.

Se os seres humanos têm sucesso ao criar essas linguagens coletivas, não podemos inventar um modo de conversar com outras espécies do planeta? Não existe um idioma que todos possamos aprender e que signifique a mesma coisa para todas as criaturas?

Boa notícia! Fico feliz em dizer que a linguagem universal do dr. Dolittle já existe. E os seres humanos não a inventaram. É uma língua que todos os animais falam sem ao menos perceber, inclusive os humanos. Além disso, todos os animais *nascem* sabendo essa linguagem instintivamente. Até mesmo os seres humanos nascem fluentes nessa língua universal, mas costumamos esquecê-la porque somos treinados, desde a infância, a acreditar que as *palavras* são o único meio de comunicação. A ironia é que, apesar de pensarmos que não sabemos mais essa língua, nós a falamos o tempo todo. Sem saber, a emitimos o tempo todo, todos os dias! Outras espécies de animais ainda conseguem *nos* entender, mesmo que não tenhamos a mínima idéia de como entendê-las. Eles nos compreendem com clareza, mesmo quando não sabemos que estamos estabelecendo uma comunicação.

Essa linguagem universal entre as espécies é chamada *energia*.

Energia nos animais

De que modo a *energia* pode ser uma linguagem? Deixe-me dar alguns exemplos. Na floresta, diferentes espécies de animais se comunicam sem esforços. Veja a savana africana ou a floresta, por exemplo. Na floresta, perto de um poço, é possível ver macacos e pássaros nas árvores; na savana, diferentes animais vegetarianos, como as zebras e as gazelas, andam livremente e tomam, felizes, água do mesmo rio cristalino. Tudo é calmo, apesar de várias espécies dividirem o mesmo espaço. Como elas conseguem se dar tão bem?

Que tal um exemplo menos exótico? Em seu quintal você pode ter esquilos, pássaros, coelhos, até mesmo raposas, todos vivendo em harmonia. Não há qualquer problema, até você ligar o cortador de grama. Por quê? Porque todos esses animais estão se comunicando com a mesma energia relaxada, equilibrada e não-confrontadora. Todos eles sabem que os outros animais estão apenas por aí, fazendo o que têm de fazer – bebendo água, procurando comida, relaxando, cuidando uns dos outros. Todos se sentem bem e ninguém ataca ninguém. Diferentemente de nós, eles não precisam perguntar uns aos outros como estão se sentindo. A energia que projetam diz tudo que eles precisam saber. Assim, *eles conversam entre si o tempo todo*.

Agora que você conseguiu imaginar o que descrevi, pense no seguinte: de repente, um novo animal entra no quintal ou se aproxima do poço na floresta, projetando uma energia completamente diferente. Essa nova energia pode ser algo pequeno, como um esquilo tentando roubar as nozes de outro, ou uma gazela empurrando outra para conseguir um lugar melhor para beber água. Pode ser mais sério, como um predador faminto procurando uma nova presa. Você já percebeu como um grupo de animais calmos pode se tornar assustado ou ficar na defensiva num instante, às vezes até mesmo antes de o predador aparecer? Provavelmente sentem o cheiro dele, mas também podem sentir a energia projetada pelo predador.

Uma coisa que me surpreende no reino animal é que, quando um predador está por perto, os outros animais sabem se é seguro ou não ficar próximos a ele. Imagine ser apresentado a um homem que você soubesse ser um assassino em série. Você conseguiria relaxar na presença dele? É claro que não! Mas, se você fosse de outra espécie animal, provavelmente saberia se o assassino estava com desejo de atacar ou se estava simplesmente relaxado. Os animais percebem imediatamente quando um predador está projetando a energia de caça, às vezes antes mesmo de o localizarem. Como seres humanos, muitas vezes ignoramos essas nuances da energia animal – pensamos que um tigre é perigoso a qualquer momento, mesmo quando, na verdade, ele acabou de comer um veado de 150 quilos e provavelmente está mais cansado que feroz. Mas, quando seu estômago fica vazio, ele se torna outro animal – só instinto e energia de sobrevivência. Até mesmo o esquilo mais frágil percebe essa sutil diferença. Mas os seres humanos parecem não perceber o que, no reino animal, é um alerta.

Aqui vai um exemplo de energia animal que as pessoas que vivem no sul dos Estados Unidos podem reconhecer. Em um dia de sol na Flórida, na Louisiana ou na Carolina do Norte ou do Sul, você verá enormes crocodilos esquentando o couro na margem dos rios – em campos de golfe caros e exclusivos! Enquanto isso, os golfistas ficam a poucos metros de distância. Garças e tartarugas tomam sol alegremente, próximas a esses répteis assustadores. Senhoras frágeis caminham com seus cãezinhos minúsculos em trilhas próximas aos crocodilos. O que está acontecendo? É simples. Os outros animais – das tartarugas aos pequenos chiuauas – estão cientes, de modo instintivo, de que aquelas criaturas assustadoras não desejam caçar naquele momento. De uma coisa você pode ter certeza: quando o estômago dos crocodilos começar a roncar e a energia deles entrar em modo de caça, os outros animais sumirão num piscar de olhos. Menos os jogadores de golfe. Mas eles são uma das espécies mais estranhas da natureza, e nem a ciência moderna os entendeu ainda.

Energia nos seres humanos

No que se refere a energia, nós, seres humanos, temos muito mais em comum com os animais do que gostamos de admitir. Imagine um dos ambientes mais selvagens do mundo humano – o refeitório de uma escola de ensino médio. Pense nele como um rio onde diferentes espécies – nesse caso, grupos de *nerds*, de brigões e de atletas – interagem pacificamente. Até que um brigão "acidentalmente" derruba a bandeja de um cara menor. A energia liberada por essa interação se espalhará pelo ambiente todo. Pergunte a qualquer adolescente se isso não é verdade. Mas, exatamente como no reino animal, essa mudança de energia pode não ser tão óbvia. Digamos que o cara menor do refeitório esteja num dia ruim – tirou nota baixa em duas provas e está bravo. De repente ele olha para frente e seu olhar cruza com o do brigão. Talvez o brigão estivesse "na dele", mas, assim que sente a energia "rebaixada" do rapaz menor, a dinâmica entre eles muda num segundo. No reino animal, isso se chama sobrevivência do mais forte.

Vamos levar esse conceito para fora da escola e pensar na sociedade como um todo. Existem líderes que projetam uma energia dominante e poderosa, como Bill Clinton e Ronald Reagan. Alguns líderes poderosos projetam uma energia carismática, que se espalha e energiza todos por perto – pense em Tony Robbins. Martin Luther King projetava a energia que chamo de "calma e assertiva" – a energia ideal para um líder. Apesar de Gandhi também ter sido um líder, sua energia era de natureza mais compassiva.

É interessante perceber que o *Homo sapiens* é a única espécie que se deixa guiar por um líder sábio, gentil, compassivo e amável. Podemos até seguir líderes instáveis, mas essa é outra história! Por mais difícil que seja compreender isto, no reino animal Fidel Castro ganharia a posição de líder, em detrimento de Madre Teresa. No mundo animal, não existe moralidade, certo ou errado. Por outro lado, os animais nunca enganam para ter poder – eles não conseguem. Os outros animais descobririam as verdadeiras intenções num piscar de olhos. Os líderes da natureza devem projetar a força mais óbvia e incontestável. No reino animal, só existem regras, rotinas e rituais – com base na sobrevivência do mais forte, não do mais esperto ou mais justo.

Já ouviu falar do "cheiro do medo"? Não é apenas uma expressão. Os animais sentem as vibrações de energia, mas o olfato é o segundo sentido mais forte – e, em um cão, a energia e o olfato parecem estar bem ligados. Os cães esvaziam as glândulas anais quando sentem medo, emitindo um odor que é percebido não apenas por outros cães, mas também por outros animais (incluindo os seres humanos). O olfato de um cão é ligado ao sistema límbico, a parte do cérebro responsável pela emoção. No livro *The Dog's Mind: Understanding Your Dog's Behavior*,[1] o dr. Bruce Fogle cita estudos dos anos 70 que mostram que os cães conseguem detectar ácido butírico – um dos componentes da transpiração dos seres humanos – a uma concentração um milhão de vezes mais baixa do que a que conseguimos. Pense nos detectores de mentira que conseguem perceber mudanças na

[1] Nova York: Macmillan, 1990, p. 38.

transpiração das mãos de uma pessoa quando ela está mentindo. Basicamente, seu cão é um "detector de mentiras" ambulante!

Os cães realmente "farejam" o medo em nós? Eles o percebem imediatamente. Diversos corredores e carteiros podem afirmar isso, pois eles correm ou passam caminhando pelas casas, fazendo os cães latirem, rosnarem ou mesmo pularem o portão ou o muro. Pode se tratar de um cão que tenha adotado o papel de protetor da casa e que leve essa função muito a sério. Muitos carteiros e corredores têm cicatrizes que provam como cães agressivos e fortes – que eu chamo de cães na zona de alerta – saem de controle. (Os cães na zona de alerta são um assunto sério; falarei sobre eles mais adiante.)

Para entender como os cães sentem os estados emocionais, imagine a seguinte situação, ao passar por uma casa com um cão na zona de alerta: *Talvez o cão que late tenha um segredo*. Pode ser que ele tenha mais medo de você que você dele! Mas, quando você fica paralisado de medo, o equilíbrio de poder muda instantaneamente. O cão percebe sua mudança de energia pelo "sexto sentido"? Ou será que fareja uma mudança na química de seu corpo ou de seu cérebro? A ciência ainda não explicou isso claramente aos leigos, mas, na minha opinião, é uma combinação das duas coisas. Após ter passado décadas observando, tenho certeza disto: não há como "blefar" com um cão da mesma maneira como se blefa com um amigo bêbado em um jogo de pôquer. Quando você sente medo, o cão instantaneamente sabe que tem vantagem sobre você. Você projeta uma energia fraca. E, se o cachorro escapar, é bem mais provável que você seja mordido ou perseguido por ele do que se tivesse ignorado os latidos e seguido em frente. No mundo natural, os mais fracos acabam sendo eliminados rapidamente. Não há certo ou errado – é assim que a vida na terra tem sido há milhões de anos.

Energia e emoção

O mais importante a entender a respeito da energia é que ela é uma *linguagem de emoção*. É claro que você nunca precisa dizer que está triste, animado ou relaxado a um animal, porque ele sabe *exatamente* como você se sente. Pense nas belas histórias que você já leu em jornais ou revistas – histórias de animais de estimação que confortaram ou mesmo salvaram seus donos doentes, deprimidos ou em luto. Elas costumam conter frases do tipo "Era como se ele soubesse o que seu dono estava passando". Garanto que sim, os animais *realmente* sabem o que os donos sentem. Um estudo francês concluiu que os cães também usam o olfato para ajudar a distinguir os estados emocionais dos seres humanos.[2] Não sou cientista, mas, depois de passar uma vida inteira ao lado dos cães, minha opinião é que, sem dúvida, eles podem usar o olfato para perceber até mesmo as mudanças mais sutis na energia e na emoção dos seres humanos ao redor deles. É claro que nem sempre os animais conseguem entender o *contexto* de nossos problemas – eles não sabem se sofremos uma decepção amorosa, se estamos enfrentando um divórcio ou se perdemos o emprego, pois essas situações humanas não significam nada para eles. Mas tais situações criam emoções – que são universais. Doença e tristeza são sempre doença e tristeza, para qualquer espécie.

Os animais não são ligados apenas a outros animais – eles parecem capazes de captar a energia da terra também. A história está cheia de casos de cães que parecem "prever" terremotos ou gatos que se escondem no porão horas antes de um tornado. Em 2004, meio dia antes de o furacão Charley atingir o li-

[2] Hubert Montagner, *L'Attachement: Les Debuts de la Tendresse*. Paris: Editions Odile Jacob, 1988.

toral da Flórida, catorze tubarões monitorados com *chips* eletrônicos, apesar de nunca haverem abandonado seu território em Sarasota, repentinamente partiram em busca de águas mais profundas. E pense no terrível *tsunami* que atingiu o sul da Ásia no mesmo ano.[3] De acordo com testemunhas, uma hora antes de a onda gigante atingir a costa, elefantes que serviam de atração para turistas na Indonésia começaram a gemer e até arrebentaram suas correntes para fugir para áreas mais altas. Na região toda, os animais dos zoológicos correram para seus abrigos e se recusaram a sair, os cães não queriam ir para a rua e centenas de animais selvagens do Parque Nacional de Yala, no Sri Lanka – leopardos, tigres, elefantes, javalis, veados, búfalos e macacos –, também fugiram para uma área segura.[4] Esses são alguns dos milagres da Mãe Natureza que continuam a me impressionar: são exemplos brilhantes da poderosa linguagem da energia em atividade.

Uma coisa importante a lembrar é que todos os animais ao nosso redor – especialmente os de estimação, com quem dividimos nossa vida – lêem nossa energia a cada momento do dia. É claro que podemos dizer o que quisermos, mas nossa energia *não consegue* mentir, ela *não* mente. Você pode berrar até perder o fôlego para que seu cão desça do sofá, mas, se não estiver projetando a energia de líder – se, lá no fundo, você sabe que vai permitir que o cachorro fique no sofá se ele insistir muito –, ele vai saber qual é sua verdadeira posição. E vai permanecer no sofá o tempo que quiser. Ele já sabe que você não fará mais nada além de gritar. Os cães percebem o tom de voz alterado dos humanos

---

[3] Don Oldenburg, "A Sense of Doom: Animal Instinct for Disaster", *The Washington Post*, 8/1/2005, C1.

[4] Maryann Mott, "Did Animals Sense Tsunami Was Coming?", *National Geographic News*, 4/1/2005, disponível em: <http://news.nationalgeographic.com/news/2005/01/0104_tsunami_animals.html>.

como um estado emocional fora de controle, um sinal de instabilidade, portanto ou ele não vai ligar para seu escândalo, ou vai ficar confuso e assustado. E certamente não vai relacionar isso com as regras a respeito do sofá!

A personalidade calma e assertiva

Agora que você compreende a poderosa "linguagem" da energia, minha próxima tarefa é ajudá-lo a entender como usá-la para melhorar a comunicação com seu cão. O cachorro só precisa de alguns segundos para determinar que tipo de energia você está projetando, por isso é importante ser firme. Com seu cão, você tem de projetar o tempo todo o que chamo de energia "calma e assertiva". Um líder calmo e assertivo é descontraído, mas sempre confiante de que está no controle.

No entanto, a palavra *assertivo* passou a ter um sentido ruim ultimamente, talvez por ser parecida com a palavra *agressivo*. Mas os significados são completamente diferentes. Pense nas pessoas da cultura popular. Independentemente do seu posicionamento político, não há como negar que o apresentador de TV Bill O'Reilly* é agressivo e nervoso. Ele grita "Cale-se!", faz interrupções e ameaças. Na maioria das situações do dia-a-dia, ser nervoso e agressivo pode ser ruim – não é uma maneira eficiente de conseguir o que se deseja e não faz bem para a pressão. Um cão agressivo e nervoso não seria um bom líder de matilha, porque os outros cães o veriam como instável.

Não tenho encontrado em meu trabalho muitas pessoas que sejam "calmas e agressivas", mas acho que podemos descrever os vilões dos filmes de James Bond dessa maneira – estão sempre

---

* O apresentador é conhecido nos Estados Unidos pelo posicionamento político de direita e pela personalidade bastante exaltada. (N. do E.)

tentando destruir o mundo sem esforço ou sem derrubar a taça de martíni. De qualquer modo, o estado de energia calma e agressiva não é natural às criaturas não-humanas do reino animal.

Mas e as personalidades calmas e assertivas? Esses são os líderes do mundo animal. Conhecemos poucas pessoas assim, mas quase sempre são as mais poderosas, admiráveis e bem-sucedidas. Oprah Winfrey – meu maior modelo de comportamento profissional – é um ótimo exemplo de energia calma e assertiva. Ela é descontraída, bem-humorada, mas, sem dúvida, é poderosa e está sempre no controle de tudo. Pessoas de todas as partes são influenciadas por sua energia magnética, que a tornou uma das mulheres mais influentes – e uma das mais ricas – do mundo.

O relacionamento de Oprah com um de seus cães, Sophie, é outra história. Como muitas pessoas poderosas que me contratam para ajudá-las com seus cães, Oprah tinha alguns problemas em compartilhar sua assertividade e sua calma com Sophie. Desde que comecei a ajudar os cães e seus donos, tenho observado que muitas pessoas influentes – diretores, chefes de estúdio, estrelas de filmes, médicos, advogados, arquitetos – não encontram problemas em ser dominantes e controladoras no trabalho, mas, quando chegam em casa, deixam seus cães fazerem o que quiserem. Essas pessoas geralmente vêem o tempo que passam com seus animais como os únicos momentos em que mostram seu lado mais sensível. Isso é incrivelmente terapêutico para os seres humanos, mas pode ser psicologicamente ruim para o animal. Seu cão precisa mais de um líder de matilha que de um amigo. Mas, se você quiser um exemplo de energia calma e assertiva, ligue a TV no *The Oprah Winfrey Show* e veja essa mulher interagir com os convidados e com a platéia. É o tipo de energia que você deveria almejar quando interage com seu cão, gato, chefe ou com seus filhos!

Finja até conseguir

E se você não for uma pessoa naturalmente calma e assertiva? Como você reage quando um problema aparece? Entra em pânico e fica em polvorosa, ou se torna defensivo e agressivo? Costuma lidar com os problemas como se eles fossem ataques pessoais a você? É verdade que a energia não mente, mas a *energia* e o *poder* podem ser *concentrados* e *controlados*. *Biofeedback*, meditação, ioga e outras técnicas de relaxamento são excelentes meios de aprender a controlar melhor a energia. Por ter passado oito anos em treinamento intensivo de judô, aprendi a controlar minha energia mental. Se você for altamente nervoso, ansioso ou emotivo – atitudes que ficam claras aos cães quando eles lêem sua energia –, tais técnicas podem fazer uma grande diferença na maneira como você se relaciona com seus animais de estimação. Aprender a controlar o poder da energia calma e assertiva dentro de si mesmo também terá um impacto positivo em sua saúde mental – e em seus relacionamentos com outras pessoas, posso garantir.

Sempre aconselho meus clientes a usar a imaginação e aplicar técnicas de visualização quando se sentirem "presos" ao tentar projetar a energia correta a seus cães. Existem muitos livros ótimos de psicologia, filosofia e auto-ajuda que podem ajudá-lo a controlar o poder de sua mente para a mudança de comportamento. Aqui estão alguns dos autores que mais me influenciaram: dr. Wayne Dyer, Tony Robbins, Deepak Chopra e dr. Phil McGraw. Técnicas de atuação como as criadas por Konstantin Stanislavski e Lee Strasberg também são excelentes ferramentas para transformar a maneira como você se relaciona com o mundo.

Na primeira temporada do meu programa, *Dog Whisperer with Cesar Millan*, que passa no National Geographic Channel, deparei com um caso que me ofereceu um ótimo exemplo de como usar o poder da visualização para transformar instantaneamente nossa energia e nosso relacionamento com os cães.

Sharon e o marido, Brendan, haviam resgatado Julius, um doce e adorável pit bull misturado com dálmata que, infelizmente, chegou a eles com medo da própria sombra. Toda vez que o levavam para passear, ele tremia inteiro e colocava o rabo entre as pernas, e corria para a segurança de sua casinha sempre que podia. Quando chegavam visitas, ele ficava paralisado de medo e se escondia sob os móveis. Quando trabalhei com o casal, percebi que Sharon ficava extremamente ansiosa e assustada sempre que Julius agia com medo ou puxava a correia durante os passeios. Sua preocupação com Julius era tanta que ela tentava confortá-lo com palavras e, se ele não se acalmasse, ela levantava as mãos demonstrando não saber o que fazer. Estava claro para mim que Julius sentia a energia temerosa de Sharon, o que aumentava seu próprio medo.

Mas, quando Sharon me contou que era atriz, percebi que ela tinha uma ferramenta poderosa nas mãos, da qual não estava tirando proveito. Os melhores atores aprendem a mergulhar profundamente em si mesmos e a usar o poder do pensamento, do sentimento e da imaginação para se transformar em diferentes personagens e mudar de estado emocional. Pedi a Sharon que usasse o "*kit* de ferramentas" de que ela lançava mão em sua profissão e se concentrasse num exercício de atuação muito simples: pensar num personagem que ela considerasse calmo e assertivo. Devido a seu treinamento, Sharon entendeu imediatamente o que eu estava pedindo. Sem hesitar, respondeu: "Cleópatra", então sugeri que ela "se tornasse" Cleópatra todas as vezes que fosse passear com Julius.

Foi emocionante para mim vê-la tentar esse exercício de atuação pela primeira vez! Enquanto passeava com Julius, Sharon começou a imaginar que realmente era Cleópatra. Diante de meus olhos, sua postura se tornou mais ereta e ela demonstrava ser mais dominante. Ela levantou a cabeça e começou a olhar de modo superior para tudo a sua volta, como se fosse a rainha de todos os lugares. Graças às mesmas habilidades de atuação que passara a vida cultivando, de repente ela tomou consciência de seu poder e de sua beleza e naturalmente esperava que todos – principalmente seu cão – obedecessem a suas ordens! É claro que Julius nunca tinha tido aulas de interpretação, mas, como percebeu a mudança de energia dela, não teve outra escolha além de tornar-se "parceiro de cena" de Sharon em sua fantasia de Cleópatra. A mudança naquele cão covarde foi imediata. Quando ele percebeu que estava caminhando com uma "rainha", instantaneamente se tornou mais descontraído e menos medroso. Afinal de contas, que cão teria medo tendo a todo-poderosa Cleópatra segurando sua correia?

Julius e seus donos trabalharam muito e por bastante tempo. Foram meses de prática diária dedicada, mas, depois de um ano, Julius estava totalmente seguro em seus passeios, e agora recebe as visitas com prazer – tudo graças ao poder da liderança calma e assertiva e com uma ajuda de Cleópatra.

Energia calma e submissa

A energia adequada para um seguidor em uma matilha é a chamada energia calma e submissa. É essa a energia mais saudável que seu cão pode demonstrar no relacionamento com você. Quando as pessoas visitam o Centro de Psicologia Canina e observam minha matilha em ação, geralmente ficam surpresas com a docilidade demonstrada por um grupo de trinta a quarenta cães durante 90% do tempo. Isso se deve ao fato de minha matilha ser composta por cães calmos e submissos, mentalmente equilibrados.

A palavra *submisso* tem conotações negativas, assim como a palavra *assertivo*. Mas *submisso* não quer dizer ingênuo. Não significa que você tem de transformar seu cão em um zumbi ou um escravo. Quer dizer simplesmente *descontraído* e *receptivo*. É a energia de um grupo de alunos bem-comportados na sala de aula, ou de uma congregação religiosa. Quando dou palestras sobre comportamento canino, sempre agradeço a minha platéia por ela estar em um estado calmo e submisso – ou seja, receptiva e capaz de conversar facilmente entre si. Quando aprendi a ser calmo e submisso com minha esposa, meu casamento melhorou 100%!

Para que os cães e os humanos realmente se comuniquem, o animal deve projetar uma energia calma e submissa antes de a pessoa conseguir fazer com que ele seja obediente. (Nós, donos de cães, nunca podemos ser vistos como submissos.) Mesmo quando um cão está realizando um trabalho de busca e resgate, ele não é assertivo, e sim ativo e submisso. Apesar de o cão de resgate ter de estar um pouco longe do treinador, arranhando com entusiasmo uma pilha de entulho, o treinador primeiro deve acalmá-lo e esperar até que ele se encontre em um estado de espírito submisso, e só depois dar a ele o sinal para começar a busca. Os cães que trabalham com pessoas deficientes também precisam ser submissos na relação, mesmo que os donos sejam cegos ou vivam confinados numa cadeira de rodas. Esses animais estão lá para ajudar as pessoas, e não o contrário.

Linguagem corporal

Seu cão sempre o observa e lê sua energia. Também lê sua linguagem corporal. Os cães usam a linguagem corporal como outra maneira de se comunicar uns com os outros, mas é importante lembrar que a linguagem corporal deles também é uma função da energia que projetam. Você se lembra do exemplo de Sharon e Julius, em que simplesmente o ato de imaginar ser Cleópatra inspirou Sharon a se impor de maneira mais firme e orgulhosa? A energia alimentou a linguagem corporal, e em troca a linguagem corporal reforçou a energia. As duas sempre estão interligadas.

Você pode aprender a interpretar a linguagem corporal de seu cão com as dicas visuais que ele dá, mas é importante lembrar que diferentes energias podem determinar o contexto de uma postura. É mais ou menos como aquelas palavrinhas complicadas chamadas homônimos – palavras que têm a mesma pronúncia mas significam coisas diferentes, como *passo* e *paço*, ou *manga* (de roupa) e *manga* (fruto). Para o falante não-nativo de uma língua, demora um pouco até que se consiga distinguir entre as palavras. Mas, é claro, tudo depende do contexto. É a maneira como uma palavra é usada que determina seu sentido. O mesmo acontece com os cães e a linguagem corporal. Um cão com as orelhas para trás pode estar sinalizando submissão calma, que é a energia apropriada para o seguidor em uma matilha. Ou pode estar demonstrando medo. Um cão que pula sobre o outro pode estar demonstrando dominância, ou pode simplesmente estar brincando. A energia sempre cria o contexto.

Posso cheirá-lo?

Como eu disse anteriormente, o cheiro também serve de linguagem para os cães. O focinho do cachorro – milhões de vezes mais sensível que nosso nariz – fornece a ele muitas informações importantes sobre o ambiente e sobre os animais que ali estão. Na natureza, o cheiro anal de um cão é seu "nome". Quando dois cães se encontram, eles cheiram o traseiro um do outro como modo de apresentação. Como não têm agenda telefônica, eles podem dizer a outros cães onde vivem e por onde têm andado apenas pelo ato de urinar em determinado local – uma moita, uma árvore, uma pedra ou um poste. Quando uma fêmea está no cio, deposita seu odor por meio da urina em todo o seu território, fazendo um tipo de anúncio pessoal para os machos da vizinhança[5] – que podem aparecer na porta da casa do dono dela no dia seguinte, sem que o pobre homem saiba como eles foram "convidados". Pelo olfato, os cães conseguem descobrir se outro cão está doente ou o que ele comeu. Assim como nos estudos sobre a capacidade dos cães de "farejar" as mudanças emocionais dos seres humanos, os cientistas tentam há muitos anos entender o poder milagroso de um focinho canino para discernir todo tipo de informações sutis. Em setembro de 2004, o *British Medical Journal* publicou os resultados de um estudo da Universidade de Cambridge que provou que os cães conseguiam "farejar" câncer de bexiga em amostras de urina em pelo menos 41% das vezes.[6] Há anos existem evidências de tais características milagrosas, mas agora a ciência tem trabalhado ativamente para pesquisar como os cães podem ajudar a detectar doenças em estágios muito mais recentes do que alguns equipamentos de alta tecnologia conseguem detectar.

Você conhece aqueles aparelhos de ressonância magnética, nos quais você fica deitado por alguns momentos e supostamente recebe um diagnóstico completo de todos os seus sistemas corpóreos? É mais ou menos isso que os cães fazem quando o encontram pela primeira vez. Eles usam o focinho para tirar de você um raio X completo, descobrir por onde tem andado e o

---

[5] Leon F. Whitney, *Dog Psychology: The Basics of Dog Training*. Nova York: Macmillan, 1971, pp. 152-53.

[6] Carolyn M. Willis et al., "Olfactory Detection of Human Bladder Cancer by Dogs: Proof of Principal Study", *BMJ*, 329, 2004, p. 712.

que tem feito ultimamente. Na etiqueta canina, você deve permitir que eles façam isso. Em meu Centro de Psicologia Canina, quando um novo cão chega ao território da matilha, é educado da parte dele manter-se parado enquanto todos os outros se aproximam e o cheiram. Se ele permanecer parado, permitindo que todos terminem de cheirá-lo, será aceito com mais facilidade na matilha. Se ele se afastar, os cães o perseguirão até que terminem de cheirá-lo. Um sinal de que o cão é agressivo ou anti-social é quando se irrita ao ser cheirado. É um cachorro que não aprendeu bons modos – como uma pessoa que não aperta a mão de outra no momento da apresentação. Quando uma pessoa chega ao Centro de Psicologia Canina e vai até a matilha, os cães fazem o mesmo com ela. Muitas pessoas se intimidam – ou se assustam – ao ficar no meio de um grupo de quarenta cães com aparência assustadora que começam a cheirá-las. A pessoa não deve olhar para os animais nem tocá-los enquanto eles a cheiram, mas os cães podem rodeá-la e cheirá-la. Esta é a única maneira de eles se sentirem confortáveis com um novo animal de qualquer espécie: aprendendo a distingui-lo pelo cheiro. Não sou Cesar para meus cães. Sou o líder da matilha deles, que são o cheiro e a energia de Cesar.

Enquanto seu cão o cheira para reconhecê-lo, você deve projetar a energia correta para se tornar o líder de matilha dele. Analisaremos com mais detalhes o conceito de líder de matilha, que é a base de um relacionamento saudável com seu cão. Primeiro, é importante lembrar que ele não enxerga o mundo da mesma maneira que você. Quando você aprende a ver seu cão primeiramente como um animal, e não como um ser humano de quatro patas, é mais capaz de compreender a "linguagem" de energia dele – e realmente "escutar" o que ele está dizendo.

3

PSICOLOGIA CANINA

Não é preciso divã

No último capítulo, defini e discuti a energia como um conceito de comunicação entre os seres humanos e os animais. Quer você saiba, quer não, você e seu cão se mantêm em comunicação constante por meio da energia, com a linguagem corporal e o odor emitido. Mas como você interpreta as mensagens que seu cão lhe envia? E como sabe se está projetando a ele o tipo correto de energia? Tudo começa com a compreensão da psicologia canina – por meio do retorno à natureza do cão e da tentativa de ver o mundo pelos olhos dele, e não pelos seus.

Humanos são de Saturno, cães são de Plutão

Para que qualquer relacionamento alcance harmonia, ele não pode ser unilateral. É preciso haver reciprocidade. Pense nos relacionamentos entre homens e mulheres. Quando me casei, demorei para perceber que minha maneira de ver o mundo, como homem, é muito diferente da maneira de minha esposa vê-lo, como mulher. As coisas que me deixavam feliz e satisfeito no relacionamento não eram as mesmas para ela – e, se somente as minhas necessidades fossem satisfeitas, teríamos muitos problemas.

Eu achava que as coisas tinham de ser do meu jeito, não só porque era egoísta, mas também por não saber que existia outra maneira.

Se eu não compreender a psicologia da mulher mais importante da minha vida, como poderemos nos comunicar? Pode ser que nunca nos tornemos ligados, e um casamento sem ligação está fadado ao fracasso. Eu tive de ler muitos livros sobre psicologia de relacionamentos para aprender a ver o mundo pelos olhos de Ilusion – pode acreditar, essa atitude fez uma diferença enorme no nosso casamento.

Meu objetivo aqui é fazer com que você passe pelas mesmas mudanças positivas no "casamento" com seu cão, com base em uma nova compreensão da verdadeira natureza de seu animal. Apenas com esse conhecimento você atingirá o tipo de ligação entre as espécies – aquela conexão verdadeira do homem com o animal – que você deseja do fundo do coração.

O primeiro erro que meus clientes cometem no relacionamento com os cães é parecido com o que muitos homens cometem ao se relacionar com as mulheres – eles acham que os dois pensam exatamente da mesma maneira. A maioria das pessoas que gostam de animais insiste em se relacionar com os cães usando a psicologia humana. Seja lá qual for a raça – pastor alemão, dálmata, cocker spaniel, golden retriever –, elas vêem todos os cães como pessoas com quatro patas e pêlos. Acredito que é normal humanizar os animais, porque a psicologia humana é nossa referência. Somos criados para acreditar que o mundo nos pertence e que deve ser como quisermos. Mas, por mais inteligentes que sejamos, não temos a inteligência necessária para anular a Mãe Natureza. Humanizar um cão – essa é a fonte de muitos problemas que sou chamado para corrigir – cria desequilíbrio, e um cão desequilibrado é insatisfeito e, geralmente, problemático. Várias vezes já fui chamado para trabalhar com cães que controlam a vida do dono, demonstram comportamento dominador, agressivo ou obsessivo e criam caos na vida das pessoas. Às vezes esses problemas já acontecem há anos. Geralmente o dono, cansado, diz: "O problema é que ele pensa que é gente". Não pensa, não. Posso garantir que ele sabe muito bem que é um cachorro. O problema é que você não sabe.

Passados distintos, presentes distintos

Os animais e os seres humanos se desenvolveram de modos diferentes, têm antepassados diferentes e pontos fracos e fortes distintos que os ajudam a sobreviver no mundo. No livro *Wild Minds: What Animals Really Think*,[1] o professor Marc D. Hauser afirma que diferentes animais têm diferentes "*kits* de ferramentas mentais" feitas para a sobrevivência. Gosto dessa analogia, porque é uma maneira simples de começar a entender a grande diversidade da natureza. Algumas ferramentas todos nós compartilhamos, como a linguagem universal da energia, que descrevi anteriormente. Outras são específicas a uma espécie. Muitas são as mesmas para mais de uma espécie – o olfato, por exemplo –, mas um grande número delas desempenha um papel mais importante na sobrevivência de uma espécie do que na de outra. Cada uma dessas "ferramentas" evolucionárias compõe a caixa de ferramentas da mente de um animal, portanto cada espécie tem uma psicologia que é, sob alguns aspectos, muito específica e única. As girafas têm uma psicologia própria. Os elefantes também. Você não pode esperar que um lagarto tenha a mesma psicologia de um ser humano, não é? É claro que não, porque o lagarto se desenvolveu em um ambiente diferente e vive de modo completamente distinto de um ser humano. Os lagartos

[1] Nova York: Henry Holt and Co., 2000, pp. xiv-xx.

são "feitos" para funções completamente diversas das nossas. Voltando à analogia do "*kit* de ferramentas", você não esperaria que um médico levasse um *kit* de programador de computadores para a sala de cirurgia. Não esperaria que um encanador levasse um violino para consertar sua pia. Todos têm ferramentas diferentes, porque realizam trabalhos diferentes. Apesar de os cães e os seres humanos terem interagido tão próximos – talvez até de modo interdependente – durante milhares de anos, os cães também foram "feitos" para trabalhos muito diferentes daqueles que a natureza designou aos seres humanos. Pense nisso. Levando em conta seus diferentes trabalhos e *kits* de ferramentas, por que você esperaria que a mente de seu cão operasse da mesma maneira que a sua?

Quando humanizamos os cães, criamos para eles uma desconexão. Ao humanizá-los, conseguimos amá-los da mesma maneira que amaríamos um ser humano, mas nunca alcançaremos uma comunhão profunda com eles. Nunca aprenderemos a amá-los por quem ou pelo quê eles realmente são.

Conforme você lê este livro, assiste ao meu programa de TV ou participa de minhas palestras, pode parecer que eu não paro de repetir os mesmos pontos: "Os cães não pensam como os seres humanos", "A psicologia canina não é como a dos seres humanos". Se você já os ouviu bastante e está pronto para começar a tratar seu cão como um cão, parabéns e mais poder a você! Mas você se surpreenderia com o número de clientes e as centenas de pessoas com as quais converso ou me correspondo que ficam relutantes e às vezes se recusam a abandonar a imagem que mantêm na mente de que seus cães são pequenas pessoas. Seus cães são seus "bebês", e vê-los de outra maneira causa a essas pessoas medo de perder a conexão com eles, em vez de fortalecê-la.

Durante uma sessão de perguntas e respostas, ao final de uma de minhas palestras, uma mulher claramente descrente do que eu dissera levantou-se e falou: "Você se dá conta de que tudo que nos disse vai contra tudo que sempre pensamos sobre nossos cães?" Eu tive de dizer à platéia: "Sinto muito, humanos".

Alguns de meus clientes ficam arrasados e outros chegam a chorar quando eu digo que, para resolverem os problemas de seus cães, eles têm de começar a ver e a tratar seus companheiros caninos de maneira completamente diferente do que fazem há anos. Geralmente, depois que faço uma consulta, temo que o cão em questão nunca tenha a chance de levar uma vida calma e equilibrada, porque o dono parece pouco disposto a mudar. Se você ler isto e sentir que é uma dessas pessoas, por favor, preste atenção. Pense no ato de conhecer seu cão como ele realmente é como uma nova e emocionante aventura! Pense no grande privilégio que você terá, podendo viver lado a lado com o animal e aprendendo a ver o mundo pelos olhos de um membro muito especial de uma espécie completamente diferente! Lembre que, ao se comprometer a mudar, você se comprometerá com seu cão. Dará a ele a oportunidade de alcançar seu pleno potencial natural. Oferecerá a outra criatura a maior forma de *respeito*, permitindo que seja ela mesma. Construirá a base de uma nova conexão, que aproximará você e seu cachorro.

Enfim, o que há de tão diferente na psicologia canina? Para começar a entendê-la, temos de analisar como os cães vivem na natureza quando os seres humanos estão fora de cena. Os cães começam a vida de modo muito diferente dos humanos. Até mesmo nossos sentidos mais básicos são diferentes.

Focinho, olhos, ouvidos: nessa ordem!

Quando uma cadela dá à luz, os filhotes nascem com as narinas abertas, mas com os olhos e ouvidos fechados. A primeira coisa na vida de um cão, a mais vital – a mãe –, se apresenta a ele primeiramente pelo odor. A mãe é, antes de mais nada, odor e energia. Um bebê humano também consegue distinguir o cheiro de sua mãe do cheiro de outras pessoas, por isso o olfato é, da mesma forma, importante para nós.[2] Mas não é nosso sentido mais importante. Para o homem, "ver é crer". Quando alguém lhe diz que um cara chamado Cesar Millan consegue controlar uma matilha de quarenta cães sem coleiras, você não vai acreditar até me ver. Bem, para o cão, farejar é crer. Se não sentir pelo olfato, ele não entenderá. Não será real para ele. E que tal esta informação? Enquanto os seres humanos têm apenas cinco milhões de receptores de cheiro no nariz, um cão adulto tem cerca de 220 milhões. Na verdade, como as pessoas que trabalham com cães de busca podem comprovar, os cachorros têm a habilidade de sentir cheiros que nós não conseguimos sentir nem mesmo usando equipamentos científicos.[3] Em resumo, um filhote cresce e "vê" o mundo usando o focinho como principal órgão de sentido.

Juntamente com o odor e a energia, o filhote conhecerá o toque quando se aproximar da mãe para mamar, antes mesmo de saber como ela é. Quinze dias depois do nascimento, ele abrirá os olhinhos e começará a perceber o mundo por meio da visão. E, vinte dias depois do nascimento, seus ouvidos começarão a funcionar.[4] Mas como geralmente tentamos nos comunicar com nosso cachorro? Conversando com ele como se ele conseguisse nos entender, ou gritando-lhe comandos!

---

[2] H. Varendi, R. H. Porter e J. Winberg, "Does the Newborn Baby Find the Nipple by Smell?", *The Lancet*, 8, nº 344 (8298), out. 1994, pp. 989-90.

[3] Idem, "Attractiveness of Amniotic Fluid Odor: Evidence of Prenatal Olfactory Learning", *Acta Paediatrica*, 85, nº 10, 1996, pp. 1.223-27.

[4] John Paul Scott e John L. Fuller, *Genetics and the Social Behavior of the Dog*. Chicago: University of Chicago Press, 1965, pp. 94-95.

Focinho, olhos, ouvidos. Meus clientes se cansam de minha repetição, mas direi de novo: focinho, olhos, ouvidos. Decore essa ordem. É a ordem natural dos sentidos dos cães. O que quero dizer é que desde o início – desde o desenvolvimento das ferramentas mais básicas de sobrevivência – os cães vivem o mundo de modo diferente do nosso. Eles, essencialmente, vivem um mundo diferente.

Até mesmo o nascimento de um cão é muito diferente do nascimento de um ser humano. Para o cão, a energia calma e assertiva da mãe controla tudo. Pense no típico cenário de nascimento de um bebê humano. Imagine o pai da criança na sala de parto dizendo: "Respire, querida, respire!" Pense em sua série de TV favorita, com o marido andando de um lado para o outro na sala de espera ou desmaiando ao ver sangue no parto. Você se lembra daquele famoso episódio de *I Love Lucy* em que Ricky e os Mertzes ensaiam tudo para a ida de Lucy ao hospital, mas na hora acabam se confundindo completamente?

Para pais de primeira viagem, o parto geralmente é muito estressante. No mundo animal a história é diferente. No ambiente natural, uma cadela não tem medo do parto, não precisa de médicos, enfermeiras, parteiras nem do método Lamaze para ajudá-la. Ela prepara seu ninho, vai sozinha até ele e, em muitos casos, se torna extremamente agressiva ao proteger seu território. Você já viu uma cadela levar os filhotes para um armário ou para debaixo da cama, onde ela os tira da placenta e começa a alimentá-los? É um momento íntimo para ela. Essa é outra grande diferença entre cães e seres humanos. Levamos a família inteira à sala de parto: avó, avô, primos, além de filmadora, charutos, flores e bexigas. Fazemos festa com o nascimento dos bebês! É um ritual muito bonito para nós – porém é totalmente diferente para os cães. Ser cão não é algo inferior nem superior a ser humano. Mas a vida é fundamentalmente diferente para um cão, desde o primeiro dia.

Vamos analisar o começo do desenvolvimento dos cães como uma janela para a mente deles. Enquanto os filhotes são pequenos, a cadela fica no ninho e eles devem encontrá-la, devem ir até ela. Ela não vai até eles. À medida que eles crescem, às vezes ela se distancia deles – ou chega a empurrá-los – quando a procuram para mamar. Na natureza, é aí que a disciplina e a seleção natural começam. Os filhotes mais fracos demoram mais tempo para encontrá-la e não conseguem competir no momento da amamentação. Se a cadela perceber certa fraqueza em um dos filhotes, ela não se preocupará com ele. Ele pode até morrer. É possível perceber desde então a enorme diferença entre seres humanos e cães. Somos a única espécie animal que se preocupa demais com um filho fraco. Não existe unidade de terapia intensiva neonatal em uma matilha. Não é que a cadela não cuide dos filhotes – na verdade, no mundo natural dos cães, "cuidar" significa garantir a sobrevivência da matilha e das gerações futuras. Um filhote fraco, que não consegue acompanhar os outros, coloca a matilha toda em risco por desacelerá-la; além disso, em termos genéticos, pode crescer fraco e gerar filhotes fracos. Parece cruel, mas no mundo natural os fracos são sempre eliminados antes.

Para um filhote, a mãe começa como odor e energia – a energia calma e assertiva sobre a qual falarei muito mais ao longo do livro. O hormônio progesterona, que ainda está forte na mãe desde a gravidez, ajuda a melhorar essa energia calma, inibindo a reação de luta ou de fuga da cadela para que possa se concentrar em criar o filhote.[5] A energia calma e assertiva é a primei-

---

[5] Bruce Fogle, *The Dog's Mind: Understanding Your Dog's Behavior*. Nova York: Macmillan, 1990, p. 74.

ra energia sentida pelos filhotes, e será sempre aquela que eles vão associar com equilíbrio e harmonia pelo resto da vida. Desde o início da vida, eles aprendem a seguir um líder calmo e assertivo. Também aprendem a submissão calma, o papel natural de *seguidores* no reino animal, principalmente no mundo dos cães. Eles aprendem a paciência. O alimento dos cães não chega em um pacote pelo correio; eles têm de esperar que a mãe volte ao ninho para amamentá-los. Aprendem que sobrevivência quer dizer competição com os irmãos pela comida e cooperação com a mãe – a primeira líder de matilha.

A maneira correta de se apresentar a um cão

Este livro não é sobre biologia canina, mas existe uma razão pela qual é importante saber como o corpo e a mente de seu cão se relacionam, e como ele se desenvolve. A mãe é a primeira "apresentação" que um filhote tem no mundo. Ela é o primeiro "outro ser" que um cão encontra. Agora, compare o odor e a energia calma e assertiva que uma cadela oferece aos filhotes com a maneira como geralmente nos apresentamos aos cães. O que normalmente fazemos quando vemos um filhotinho? "Ohhh!", exclamamos, com a mesma voz fina que costumamos usar ao falar com bebês. "Venha cá, coisinha linda!" Assim, nos apresentamos ao cachorro usando a voz em primeiro lugar – e não apenas a voz, mas geralmente um som animado e cheio de emoção. O que fazemos é projetar *energia emocional e animação*, que é o mais distante que podemos chegar da energia calma e assertiva. Para um cão, a energia emocional é fraca e geralmente negativa. Assim, desde o princípio, mostramos ao cão que não o entendemos.

E o que vem depois? Nós nos aproximamos do cão, e não o contrário. Corremos até ele, nos abaixamos e fazemos carinho nele – geralmente uns tapinhas na cabeça –, antes que ele saiba ao menos quem somos. Nesse momento, o cão já percebeu que não entendemos nada a respeito dele. Também percebeu claramente que *nós* fomos até ele – com isso, é como se assinássemos um contrato dizendo que somos os seguidores, e ele, o líder. Podemos culpá-lo, após termos passado uma primeira impressão tão instável?

Vamos rever a situação do primeiro encontro usando a psicologia canina, e não a humana. A melhor maneira de se aproximar de um cão é não se aproximar dele de jeito nenhum. Os cães nunca se aproximam uns dos outros cara a cara, a menos que estejam se desafiando. E os líderes nunca se aproximam dos seguidores; é sempre o contrário que acontece. Existe como que uma etiqueta no mundo canino que estabelece que, ao encontrarmos um cão, não devemos olhá-lo nos olhos, mas manter a energia calma e assertiva e permitir que o animal se aproxime. Como esse cão o analisará? Pelo faro, é claro. E não fique assustado ou sem graça se ele cheirar suas partes íntimas. É claro que, entre humanos, seria completamente ofensivo cheirar os genitais de uma pessoa ao conhecê-la, mas é assim que os cães se cumprimentam o tempo todo. Geralmente essa atitude não tem qualquer sentido sexual – é simplesmente uma maneira de conseguir informações importantes uns sobre os outros: sexo, idade, o que o outro almoçou. Um cão que o cheira está reunindo informações desse tipo a seu respeito. Ao cheirá-lo, ele sente não apenas seu odor, mas também toda a energia que você está projetando. Pode ser que o cão não fique interessado em você ou se afaste à procura de cheiros mais interessantes. Ou pode decidir continuar a descoberta. Apenas quando o cão decide iniciar contato, esfregando-se em você ou empurrando-o com o focinho, é que você deve oferecer carinho. E deixe para fazer contato visual quando se conhecerem melhor – decisão mais ou menos parecida com a de não ir longe demais no primeiro encontro, numa relação pessoal.

Às vezes, após examinar uma nova pessoa, o cão pode perder o interesse e se afastar. Naturalmente, uma pessoa que gosta de animais tentará tocá-lo e oferecer carinhos para que ele volte. Para alguns cães, essa atitude pode ser vista como um avanço indesejado e pode causar uma mordida. Mesmo com um animal dócil, geralmente sugiro que as pessoas se aproximem sem demonstrar afeto. Permita que o cão o conheça, se sinta à vontade com você e faça alguma coisa para *ganhar* seu carinho primeiro.

Esse conselho nem sempre é seguido, pois os seres humanos se sentem satisfeitos acariciando um cachorro. O que as pessoas que gostam dos animais não sabem é que, ao oferecer carinhos logo de cara aos cães, não estão fazendo nenhum favor a eles. Podemos satisfazer nossas necessidades – afinal de contas, os cães são bonitos, fofos, macios e engraçadinhos! Eles são importantes para nosso bem-estar físico e mental. Como a especialista em comportamento canino Patricia B. McConnell afirma no livro *The Other End of the Leash: Why We Do What We Do Around Dogs*,[6] acariciar um animal pode trazer grandes benefícios físicos às pessoas. De acordo com McConnell, estudos mostram que acariciar um cão reduz a freqüência cardíaca e a pressão arterial nos seres humanos – e também nos cães! – e libera componentes químicos em nosso cérebro que ajudam a nos acalmar e combatem os efeitos do estresse. Mas, quando nos aproximamos de um cão que não conhecemos e lhe oferecemos carinho incondicional, podemos criar um sério desequilíbrio em nosso relacionamento com ele. Especialmente se formos o dono do animal, é num primeiro encontro como esse que geralmente o proble-

[6] Nova York: Ballantine Books, 2002, p. 116.

ma comportamental dele tem início. Assim como no mundo humano, para um cachorro, a primeira impressão pesa bastante.

Muitas pessoas que gostam de cães podem ficar bravas comigo por afirmar isso. Compreendo que elas têm as melhores intenções quando dão carinho a um cão assim que o encontram. Dar carinho a outra criatura é um impulso natural para nós e parte da beleza de ser humano. Mas devemos lembrar que, ao fazer isso, estamos satisfazendo nossa necessidade de afeição, e não a do cão. Como a maioria dos mamíferos, os cães querem e precisam de afeto. Mas não é a primeira nem a mais importante coisa que eles precisam de você. Se tiverem afeição antes de mais nada, a balança do relacionamento é alterada – de modo errado.

Vendo as coisas de trás para frente

Você já viu que, no relacionamento com os cães, geralmente comunicamos tudo a eles "de trás para frente" – usando o som, depois a visão e geralmente ignorando o olfato. Os cães vivenciam o mundo por meio do olfato, da visão e, depois, do som – nessa ordem. É vital lembrar isso se quisermos nos comunicar corretamente com eles. Nunca se esqueça desta fórmula: focinho, olhos, ouvidos. Repita a ordem para si mesmo assim como eu a repito a meus clientes, até tornar-se algo automático.

Existe outra coisa que fazemos de trás para frente em relação aos cães, embora seja um conceito mais difícil de compreender. Nós nos relacionamos com eles da mesma maneira que fazemos com os seres humanos – como um nome ou uma personalidade específica em primeiro lugar. Quando me relaciono com as pessoas, espero que elas me vejam inicialmente como Cesar Millan, depois como um homem hispânico e por último como um ser humano (*Homo sapiens*). Quando nos relacionamos com as pessoas, raramente paramos para pensar na espécie à qual pertencemos e quase nunca lembramos que somos membros do reino animal. Essa informação simplesmente não aparece na nossa mente quando encontramos nossos amigos para um café. Um amigo é um nome e uma personalidade, e só.

Naturalmente, pensamos em nossos cães e na maioria de nossos animais de estimação da mesma maneira – nome e personalidade primeiro. Na verdade, pensamos em nossos cães como nome e personalidade, depois como raça e depois... como seres humanos! Pense num cão famoso – digamos, Tinkerbell, a chiuaua de Paris Hilton. Automaticamente pensamos no cão primeiro como seu nome – Tinkerbell. Ao mesmo tempo, podemos pensar em algo a respeito da personalidade de Tinkerbell – por exemplo, que ela é mimada. Ou que veste roupinhas bonitas. Depois pensamos na raça – chiuaua. Por fim, lembramos que ela é um cão, mesmo que sempre seja carregada de um lado para outro dentro de bolsas de grife e limusines. Seria fácil confundi-la com uma boneca ou uma criança. Como Tinkerbell está muito envolvida no mundo dos seres humanos, raramente pensamos que ela é um animal – ou pelo menos não nos referimos a ela como tal. Mas ela é um animal. Esse é outro ponto em que erramos muito em nossa comunicação com os cães.

Quando você interage com seu cão – e isso é mais importante quando está tentando lidar com as "questões" dele ou corrigir seus desvios de comportamento –, deve se relacionar com ele assim, nesta ordem:

Em primeiro lugar, como

1) um animal;
2) uma espécie: cão (*Canis familiaris*).

Depois, como

3) uma raça (chiuaua, dogue alemão, collie etc.).

E, por fim, o menos importante:

4) um nome (personalidade).

Isso não quer dizer que Paris Hilton não possa amar Tinkerbell por ser Tinkerbell. Quer dizer que Paris tem de reconhecer o animal e a espécie em Tinkerbell antes de mais nada, para que esta tenha uma vida equilibrada. Nem todas as bolsas de marca e as limusines do mundo podem torná-la uma cadela feliz e estável.

Reconhecendo o animal em seu cão

O que lhe vem à mente quando você pensa na palavra *animal*? Eu penso na natureza, nos campos, nas florestas. Penso nos lobos, cujos territórios se estendem por quilômetros e quilômetros no mundo selvagem. Penso em duas palavras: *natural* e *liberdade*. Todos os animais, inclusive os seres humanos, nascem com um desejo arraigado de ser livres. Mas, a partir do momento em que trazemos os animais para dentro de nossa vida, eles não são mais livres – pelo menos não como deveriam ser. Restringimos essa liberdade quando os trazemos para nosso ambiente. Na maior parte das vezes, tomamos tal atitude com boas intenções. Mas, independentemente de se tratar de um gato, de um chimpanzé, de um cavalo ou de um cachorro, e quer os coloquemos para viver em um apartamento pequeno, quer em uma mansão tão grande quanto a de Paris Hilton, todos os animais continuam tendo as mesmas necessidades com as quais a Mãe Natureza os criou. E, se tomamos a decisão de viver com eles, precisamos nos responsabilizar pela satisfação dessas necessidades *animais*, caso queiramos que eles sejam felizes e equilibrados.

Os animais são lindamente simples. Para eles, a vida também é simples. Somos nós que a complicamos, impedindo que sejam quem são, não entendendo ou não tentando falar a língua deles e deixando de lhes oferecer o que a natureza sempre lhes deu.

O fato mais importante que devemos saber sobre os animais é que eles vivem no presente. O tempo todo. Não é que eles não tenham memória – eles têm. Acontece que não ficam obcecados pelo passado ou pelo futuro. Quando alguém me traz um cão que atacou uma pessoa um dia antes, eu olho para ele como um cão provavelmente desequilibrado e que precisa de ajuda hoje, mas não penso: "Oh! É o cão que atacou um homem ontem!" Esse cão não pensa no que fez no dia anterior e não planeja sua próxima mordida. Também não premeditou o primeiro ataque – apenas reagiu. Ele vive o momento e precisa de ajuda naquele momento. Essa talvez seja a maior lição que aprendi em uma vida inteira de trabalho com os cães. Todos os dias, quando vou trabalhar, os cães me lembram que devo viver no presente. Talvez tenha batido meu carro ontem, talvez esteja preocupado com as contas que terei de pagar amanhã, mas, ao estar ao lado dos animais, sempre sou lembrado de que o único momento real na vida é o *agora*.

Apesar de os humanos também serem animais, somos a única espécie que vive remoendo o passado e se preocupando com o futuro. Provavelmente não somos a única espécie que tem consciência da própria morte, mas certamente somos a única a se preocupar com ela.

Viver o momento – algo natural para os animais – se tornou o ideal de muitas pessoas. Algumas delas passam anos aprendendo a meditar e a entoar cânticos, ou gastam milhares de dólares com viagens de retiro nas montanhas, tentando viver o momento, mesmo que seja por um período curto. Mas quase todas as pessoas perdem o sono pensando no passado ou no futuro, a menos que algo dramático lhes aconteça. Por exemplo, imagine uma pessoa que chegou perto da morte. De repente o céu fica lindo, as árvores ficam lindas, a vida fica linda! Tudo se torna lindo! Finalmente ela compreende o conceito de viver o presente. Os animais não precisam aprender essa lição, porque nascem com essa visão.

Os seres humanos, é claro, também são a única espécie a usar a fala. Apesar de os cientistas terem descoberto há pouco tempo que muitos animais - incluindo primatas, cetáceos (baleias e golfinhos), pássaros e até mesmo abelhas, para citar apenas alguns - têm um sistema de comunicação complexo e intrincado, os seres humanos continuam a ser a única espécie capaz de unir palavras, pensamentos e conceitos para criar a fala. A fala é nossa principal forma de comunicação e, como somos muito dependentes dela, não usamos tanto nossos outros quatro sentidos, ou o "sexto sentido", que descrevi no capítulo 2: o sentido universal da energia. Repito: todos os animais se comunicam usando a energia, constantemente. A energia existe em todos os seres. A energia é quem você é e o que está fazendo a *qualquer momento*. É assim que os animais o vêem. É assim que seu cão o vê. Sua energia naquele momento define quem você é.

Espécie: cão

Assim como todos os outros animais, os cães têm a necessidade inata de comida, água, sono, sexo e proteção. Os cães são descendentes dos lobos; na verdade, o DNA dos cães e dos lobos é quase indistinguível.[7] Os cães podem até acasalar com os lobos e dar origem a filhotes saudáveis. Apesar de existirem diversas diferenças entre os cães domesticados e os lobos, pode-

---

[7] Virginia Morell, "The Origin of Dogs: Running with the Wolves", *Science*, 276, 5319, 13/6/1997, pp. 1.647-48.

mos aprender muito sobre a natureza dos cães observando os bandos de lobos no mundo selvagem.

Muitos lobos passam o verão e a primavera procurando por peixes e pequenos animais, e o inverno em caçadas organizadas, perseguindo mamíferos muitas vezes tão grandes quanto os alces. O biólogo David L. Mech[8] observou lobos nas florestas e percebeu que apenas 5% das caçadas deles eram bem-sucedidas. Mas eles continuavam saindo todos os dias para caçar. Não se reuniam para dizer: "Estamos numa maré de azar. Vamos abandonar a caçada hoje". Independentemente de conseguirem a presa ou não, saíam para a caça. Isso porque a necessidade de caçar – de sair para trabalhar – é inerente aos lobos.

Os biólogos e outros especialistas acreditam que, entre dez e doze mil anos atrás, os primeiros cães perceberam que viver entre os seres humanos era uma maneira mais fácil de sobreviver do que realizar todas aquelas caçadas frustrantes. Começaram a suplementar as caçadas com visitas aos acampamentos dos humanos. Mas estes não davam nada de graça aos cães. Eles exploravam a habilidade natural canina de farejar e capturar a presa e, mais tarde, de manter os animais do pasto no caminho e puxar equipamentos pesados demais. Os cães trabalham há milhares de anos – para nós ou para si próprios. Mesmo que não saiam para caçar todos os dias, é natural para eles contar com o trabalho para comer. Foi para isso que foram criados.

Assim como todos os outros animais do mundo, os cães precisam de trabalho. A natureza os criou com um objetivo, e esse desejo nato de ter um propósito na vida não desaparece quando os levamos para viver conosco – nem as tarefas específicas às quais os homens os adaptaram, como buscar, pastorear, cor-

---

[8] David L. Mech, *The Wolf: The Ecology and Behavior of an Endangered Species*. Nova York: Natural History Press, 1970.

rer. Mas, quando os domesticamos, geralmente tiramos seu trabalho. Nós os mimamos com caminhas confortáveis, montes de brinquedos, pratos cheios de comida e toneladas de carinho. Pensamos: "Que vida boa pra cachorro!" De fato, talvez esse tipo de vida fosse bom para um aposentado que vivesse num condomínio fechado, após quarenta anos de serviço. Mas os genes do cão imploram que ele saia pelos campos com a matilha, explorando novos territórios e procurando por alimento e água. Imagine como seria viver livremente, satisfazendo todas as suas necessidades, e de repente passar a viver preso num apartamento de dois cômodos, sozinho o dia todo. Milhões de cães vivem assim nas cidades. Seus donos acreditam que levá-los para passear por cinco minutos até a esquina, para que possam fazer xixi e cocô, é o bastante. Imagine como esses cães se sentem no fundo da alma. A frustração vai parar em algum lugar. É aí que eles desenvolvem "questões", e essa é uma das razões pelas quais tenho tantos clientes.

Enquanto os cães viverem com os seres humanos, o mundo deles será virado de cabeça para baixo de inúmeras maneiras. É nossa responsabilidade – se quisermos nossos cães felizes – tentar lembrar quem eles são por dentro, quem a Mãe Natureza quis que eles fossem quando os criou. Quando um cão tem um problema, você não pode corrigi-lo conectando-se com o nome dele. Tem de enxergar o cão primeiro como um animal, depois como um cão, antes de poder lidar com os problemas que ele possa ter.

O mito da "raça-problema"

Quando encontro um cliente pela primeira vez, às vezes não sei qual é o problema que terei de enfrentar. Geralmente nem sequer sei qual é a raça do cão. Gosto de chegar sem saber de muitas coisas e tirar minhas conclusões, porque, geralmente, aquilo que o dono do animal diz é muito diferente do problema real. A primeira coisa que faço é sentar-me com o dono e ouvir seu lado da história. Não consigo nem contar quantas vezes já escutei comentários como estes, de pessoas que adoram ler livros sobre raças: "Bem, por ele ser um dálmata, é naturalmente nervoso", ou "Ele é uma mistura de collie com pit bull, mas o problema é a porção pit bull", ou ainda "Os dachshunds são sempre problemáticos".

Tenho de explicar a essas pessoas que estão cometendo um engano ao relacionarem a raça de um cão com seus problemas comportamentais. O mesmo acontece quando as pessoas fazem generalizações a respeito de raças humanas ou etnias – quando dizem que todos os latinos são preguiçosos, todos os irlandeses são beberrões e todos os italianos são brigões, por exemplo. No que se refere a tentar entender e corrigir a conduta de um cão, a raça vem sempre em terceiro lugar, depois do animal e do cão. Na minha opinião, não existe essa coisa de "raça-problema". Entretanto, o que não faltam são "donos-problema".

A raça é algo que os seres humanos criaram. Os geneticistas e biólogos acreditam que os primeiros seres humanos que conviveram com os cães escolheram lobos desgarrados com corpo e dentes menores – talvez porque representassem menos riscos a nós e por serem mais fáceis de controlar.[9] Depois, centenas, talvez milhares de anos atrás, começamos a acasalar cães para produzirem filhotes que fossem bons em determinadas tarefas. Os sabujos foram criados para terem o olfato mais apurado. Os pit bulls foram criados para brigar em rinhas. Os cães pastores foram criados não apenas para pastorear os carneiros, mas também para ficarem parecidos com eles. Por isso, hoje em dia temos o pastor alemão, o boxer, o chiuaua, o lhasa apso, o dobermann.

[9] John Paul Scott e John L. Fuller, op. cit., pp. 400-3.

Temos centenas e centenas de raças.[10] Quando se escolhe um cão, é importante pensar na raça, e falaremos mais a respeito disso posteriormente. Mas é essencial lembrar que por trás de todas as raças existem o animal e o cão em primeiro lugar. Todos os cães têm a mesma psicologia. A raça é apenas uma roupa que o cachorro usa e, às vezes, um conjunto de necessidades especiais que ele pode ter. Você não será capaz de entender ou controlar o comportamento de seu cão vendo-o simplesmente como uma "vítima" da raça.

Todos os cães têm as mesmas habilidades inatas, mas algumas raças foram selecionadas de modo a acentuar certas características. Temos o costume de associar, erroneamente, essas habilidades condicionadas à personalidade do cão. Uma habilidade condicionada é a de farejar. Pelo modo como os sabujos foram criados, essa raça é a melhor nesse quesito. Eles são capazes de farejar por períodos mais longos. Não se importam se fazem ou não uma parada para se alimentar, contanto que localizem aquele cheiro! Todos os cães podem farejar? Todos os cães conseguem encontrar coisas farejando? Sim. Todos eles reconhecem o mundo por meio dos odores, e todos usam o focinho como nós usamos os olhos, mas alguns são melhores nisso que outros.

Isso não quer dizer que a raça não afeta a sensibilidade do cão a certas condições e ambientes. Na verdade, as necessidades especiais que determinado cão pode ter por causa da raça são uma das coisas mais importantes que um novo dono de cachorro deve levar em conta ao escolher a raça de seu animal de estimação. Por exemplo, na natureza, todos os cães viajam, mas os huskies siberianos foram condicionados para percorrer distân-

---

[10] Maryann Mott, "Breed-Specific Bans Spark Constitutional Dogfight", *National Geographic News*, 17/6/2004, disponível em: <http://news.nationalgeographic.com/news/2004/06/0617_040617_dogbans.html>.

cias maiores. É uma raça que pode passar dias caminhando – esse é seu "trabalho" natural. Essa habilidade inata, entretanto, torna mais difícil para um husky siberiano viver na cidade, porque seus genes dizem que ele deve percorrer distâncias maiores e fazer caminhadas longas para se livrar do excesso de energia. Sem exercícios suficientes, ele ficará entediado com mais rapidez que um dachshund, por exemplo. Mas, quando o husky siberiano se sente frustrado, desenvolve os mesmos sintomas apresentados por um dachshund frustrado. Ou por um pit bull frustrado. Ou por um greyhound frustrado. Nervosismo, medo, agressividade, tensão, comportamento de defesa territorial – todos esses problemas e doenças surgem quando o animal e o cão dentro dele ficam frustrados. Não importa qual é a raça. É por isso que é um engano se preocupar com a raça quando se lida com problemas comportamentais.

Mais uma vez, voltamos para a *energia* como fonte do comportamento. Todos os animais, como os indivíduos, nascem com determinado tipo de energia. Existem quatro níveis de energia que nada têm a ver com a raça: baixa, média, alta e muito alta. Isso acontece com todas as espécies, incluindo os seres humanos. Pense nas pessoas que você conhece. Independentemente de raça, idade ou renda, você não conhece pessoas com energia baixa? Aquelas que são preguiçosas? E aquelas que parecem não parar um minuto, sempre correndo o dia todo? Ou as que freqüentam a academia duas horas por dia, sete dias por semana? Tenho dois filhos maravilhosos. O mais velho, Andre, tem energia média, como minha esposa – está sempre pensativo, mas, quando realiza uma tarefa, mantém-se extremamente concentrado. Meu filho mais novo, Calvin, por outro lado, é mais parecido comigo – tem uma energia muito alta. Ele parece uma bola de fogo, e às vezes nada o faz parar. Nenhum nível de energia é melhor ou pior que o outro, mas, ao escolher um cão, é bom você tentar combinar seu nível de energia com o dele, e vice-versa. Digo aos meus clientes que eles nunca devem escolher um cão com mais energia que eles. Se você for uma pessoa relaxada, eu não recomendaria a escolha de um cão que, na jaula do canil, esteja pulando como doido. A escolha de um nível de energia compatível entre dono e animal é, na minha concepção, muito mais importante que a escolha da raça – principalmente se você estiver pensando em adotar um vira-lata ou um cão de raça mista.

Um cão com outro nome

Agora, vamos ao assunto preferido de todos: nomes. Este é Billy, este é Max, este é Rex, esta é Lisa. Os nomes são coisas que nós, seres humanos, criamos. Somos a única espécie que dá nomes a seus membros. Os cães não vêem revistas e não reconhecem Will Smith, Halle Berry, Robert De Niro e todas essas pessoas maravilhosas. Eles não vêem os humanos dessa forma. Mas nós vemos os cães assim.

Os nomes andam lado a lado com as personalidades. Também somos a única espécie a identificar seus membros pela personalidade. Você pode ser o repórter charmoso ou o político evasivo. Pode ser a professora paciente e doce ou a professora brava e exigente. São personalidades. Apesar de os cães não se reconhecerem dessa forma, costumamos projetar neles nosso conceito humano de personalidade.

"O quê?!", você pode me dizer. "Meu cão, Skipper, tem uma personalidade muito forte!" Nesse assunto recebo muitas críticas e ressentimentos de pessoas que pensam que seu cachorro é o melhor, o mais singular e lindo animal na face da terra. Concordo que cada animal, como cada floco de neve, é diferente. Mas eu desafio você a aceitar uma nova maneira de pensar: a personalidade de seu cão pode ser algo que você projetou nele. Você pode estar interpretando de modo errado uma condição natural, uma habilidade ou um comportamento que para nós, seres humanos, parece "personalidade". Pode ser que você esteja chamando uma neurose ou um problema de "características da personalidade" – o que não é necessariamente bom para seu cachorro.

Deixe-me dar um exemplo. Digamos que um homem tenha dois terriers: um se chama Dama e o outro, Colombo. O dono deu o nome de Colombo ao animal por perceber que ele adora fazer explorações. Dama é quietinha e nunca sai explorando os lugares, comporta-se como uma "dama". Isso faz sentido, certo? Um pequeno terrier que sai puxando o dono quando está preso à coleira porque gosta de explorar? E outra terrier que se mantém quieta e age como uma dama? Segundo o dono, os cães foram batizados de acordo com a "personalidade" de cada um. Mas a verdade é que *todos* os cães gostam de explorar os lugares. A exploração faz parte da natureza deles. Quando encontro um cão que não parece gostar de ver coisas novas – é inseguro, temeroso –, imediatamente percebo que ele tem um problema. O que esse dono está fazendo é acentuar elementos do comportamento do cão e chamar tais elementos de personalidade. No mundo animal, há o dominante e o submisso (que logo analisaremos com mais detalhes). Dama é, claramente, a mais submissa dos dois cães e provavelmente tem uma energia baixa. Mas, se trabalharmos sua auto-estima, esperamos que ela se torne tão curiosa quanto Colombo.

É claro, no mundo natural, os cães reconhecem uns aos outros como indivíduos, mas não da mesma maneira como nós fazemos. A mãe deles não lhes dá nomes. Ela verá os filhotes como aqueles que têm energia alta, média ou baixa – assim são seus garotos. Eles são energia. São um cheiro distinto e reconhecível. Mais tarde, quando eles crescerem, os outros membros da matilha também os reconhecerão como energia e odor, e a "personalidade" e o "nome" deles corresponderão ao posto que ocuparem na hierarquia do grupo. É um conceito difícil de entender, mas lembre-se do principal ponto deste capítulo: os cães vêem o mundo de modo completamente diferente do nosso - nem melhor nem pior -, e os donos devem aprender a apreciar a psicologia única que acompanha essa visão.

Na maioria das vezes, a personalidade e o nome de nosso animal de estimação existem porque acreditamos em sua existência. Nosso desejo é o que os torna reais, e nos sentimos melhor associando-os ao cão dessa maneira. É algo bonito e terapêutico para nós, como seres humanos - isto é, quando não interfere no fato de o cão ser um cão. Mas, quando o animal tem problemas, você não pode começar a resolvê-los lidando com "Colombo". Tem de começar com o animal, depois com o cão, depois com a raça, e então analisar o nome escrito na casinha.

Não analise isso

Infelizmente para nós, seres humanos, os cães não podem deitar num divã para que os analisemos. Não podem nos contar o que querem ou do que precisam em determinado momento. Mas, na verdade, eles nos dizem isso o tempo todo com a energia e a linguagem corporal. E, se compreendermos sua psicologia, atendendo seus instintos, poderemos satisfazer suas maiores necessidades.

Freqüentemente atendo clientes que adotaram um cão de abrigo com problemas e passam meses pensando o que pode ter acontecido de tão horrível com ele, quando ainda era filhote, que causou esses problemas. A respeito do cão problemático, essas pessoas dizem: "Ele deve ter sido chutado por uma mulher com sapatos de salto alto, porque agora tem medo de mulheres com salto alto", ou "Ela tinha medo do lixeiro, por isso agora fica maluca toda vez que vê o caminhão de lixo". Tudo isso pode ser verdade. Mas as pessoas falam sobre os medos e fobias dos cães como se fossem os medos e fobias humanos. Como se os cães passassem o dia todo preocupados com um trauma da época em que eram filhotes ou perdessem tempo obcecados com lixeiros e mulheres de salto alto. Eles não fazem isso. Os cães não pensam como nós. Para dizer de modo simples, eles reagem. Esses medos e essas fobias são reações condicionadas. E qualquer reação pode deixar de ser condicionada se entendermos o básico da psicologia canina.

Deixe-me dar um exemplo de um caso apresentado na primeira temporada de *Dog Whisperer*. Kane era um belo e dócil dogue alemão de 3 anos que, enquanto corria e brincava no piso escorregadio, escorregou e bateu com força contra uma parede de vidro. Marina, sua dona, ouviu o barulho e correu em sua direção, exclamando sem parar, com uma energia agitada e emocional: "Meu Deus, Kane, você está bem? Oh, coitadinho..." Apesar de Marina não ter feito por mal e de estar preocupada com o bem-estar dele, ela, na verdade, reforçou o susto do cão naquele momento. Na natureza, se Kane estivesse acompanhado de um membro equilibrado de sua matilha e o mesmo acidente acontecesse, o outro cão provavelmente o cheiraria para ver se estava tudo bem. Então Kane se levantaria, se sacudiria e continuaria seu dia. Ele sairia dali e talvez passasse a ser mais cuidadoso ao correr em superfícies escorregadias. Mas, por causa da reação de sua dona, Kane associou esse pequeno acidente com um grande trauma. E a fobia nasceu.

Daquele dia em diante, Kane passou a temer superfícies brilhantes. Ficou mais de um ano sem ir à cozinha e não conseguia entrar na escola em que Marina lecionava e para onde ela o levava todos os dias antes do acidente. Ele não ia mais ao veterinário – Marina sempre tinha de levar um tapete para estender no chão, para que Kane andasse nele e pudesse chegar ao consultório. Marina tentou ensinar e convencer Kane, de modo amigável, a andar nos pisos de linóleo, sem sucesso. Ela tentou dar recompensas e carinho. Quanto mais ela pedia e implorava, quanto mais o acariciava e o incentivava, mais teimoso – e medroso – ele se tornava. Além disso, Kane pesava mais de setenta quilos; se não quisesse ir a algum lugar, não havia puxões e empurrões que o fizessem se mover.

A maneira como Marina tratou a fobia de Kane talvez fosse apropriada se ela estivesse lidando com uma criança. Uma psicóloga que trata um paciente envolvido em um acidente de avião não o faz entrar numa aeronave logo na primeira consulta. Da mesma forma, quando as crianças sofrem acidentes, precisam de conforto e simpatia de nossa parte. Mas a maioria de nós percebe que os filhos reagem na proporção da reação *dos pais* a seus choramingos. É por isso que tentamos confortar nossos filhos sem fazê-los lembrar os acidentes. Mas, diferentemente das crianças, os cães não sonham nem se tornam obcecados com coisas do passado, como nós. Eles vivem o presente. Kane não passava seus dias preocupado com as superfícies escorregadias, e naturalmente reagiu para se proteger quando o primeiro acidente ocorreu. Mas, como sua dona reforçou essa experiência traumática com uma energia muito emocional e agitada e nutria seu medo fazendo-lhe carinhos sempre que ele se aproximava de um chão brilhante, Kane passou a ver os pisos escorregadios como um grande problema. Sempre que um animal não tem permissão para superar seu medo, este pode se tornar uma fobia. Kane precisava de um líder calmo e assertivo para recondicioná-lo e mostrar-lhe que os pisos escorregadios são coisas normais. Foi aí que eu entrei.

Antes de mais nada, levei Kane para passear comigo, para criar um vínculo com ele e mostrar meu papel dominante. Quando

tive certeza de que ele me via como líder, senti-me preparado para resolver sua fobia. Como Kane é um cão grande – pesa mais que eu! –, tive de fazê-lo correr para levá-lo até o local do acidente. Precisei tentar duas vezes, mas na segunda ele correu ao meu lado e estava sobre o piso antes de se dar conta do que estava acontecendo ou de como tinha chegado ali. No piso, ele reagiu como estava acostumado: entrou em pânico. Gemeu, se agitou – eu podia ver o terror em seus olhos. A diferença dessa vez fui eu. Não fiz nada além de segurá-lo com firmeza. Mantive minha postura firme, calma e não afetada pela reação dele. Não o confortei nem falei de modo doce, como Marina sempre fazia – tal comportamento só havia reforçado suas reações negativas. Em vez disso, fiquei sentado com ele enquanto ele revivia todas as velhas emoções – e vi o medo ir embora. Depois de dez minutos, ele estava relaxado o bastante para que eu pudesse caminhar ao seu lado no piso escorregadio. Ele caminhou ao meu lado, no início tremendo e inseguro, mas depois de alguns passos voltou a ser confiante. Mais uma vez me mantive calmo e assertivo. Não o tratei como um bebê. Ofereci-lhe a orientação de um líder forte de matilha e comuniquei-lhe, por meio de minha energia, que aquela era uma ação comum e que não havia nada a temer. Depois de vinte minutos, Kane estava caminhando com confiança no mesmo piso que temera por mais de um ano.

O maior teste aconteceu quando Marina e o filho, Emmet, tomaram meu lugar. Marina me disse que era muito difícil para ela passar uma energia calma e assertiva estando tão preocupada com o que Kane sentia. É natural que um ser humano sinta pena de um animal que está com problemas, mas os cães não precisam disso. Precisam de nossa liderança. Somos o ponto de referência deles, sua fonte de energia. Eles refletem a energia psicológica que lhes passamos. Foi um grande desafio para Marina ser a líder de Kane quando estava com muita pena dele e acreditava que tinha de agir como sua "mãe". Felizmente, ela se esforçou para mudar – e ensinou o marido e o filho a serem líderes de matilha também.

Entre os estudiosos do comportamento canino e os psicólogos de seres humanos, a técnica que usei com Kane às vezes é chamada de "inundação", ou seja, exposição prolongada de um paciente a estímulos de medo de intensidade relativamente alta. Para alguns defensores dos animais, essa técnica é muito controversa. Acredito que, no trabalho com animais, as pessoas precisam seguir sua consciência. Na minha opinião, a maneira como trabalhei com Kane não foi apenas humana, foi instantaneamente eficiente. Desde aquele dia, Kane nunca mais teve problemas com chãos escorregadios – ou qualquer outra fobia. Ele é um cão perfeitamente equilibrado, calmo e tranqüilo.

A beleza dos cães é que, diferentemente dos seres humanos com problemas psicológicos, eles seguem adiante sem olhar para trás. Nós, seres humanos, temos a bênção e a maldição da imaginação, que nos permite voar alto na ciência, na arte, na literatura e na filosofia, mas que nos leva aos lugares mais sombrios e assustadores de nossa mente. Como os cães vivem no presente, eles não se prendem ao passado como nós. Diferentemente dos Woody Allens do mundo, os cães não precisam de anos de terapia ou de longas sessões no divã, lutando para entender o que lhes aconteceu quando eram filhotes. No que se refere a problemas, são criaturas de causa e efeito. Quando são condicionados para reagir de uma nova maneira, mostram-se dispostos a mudar e capazes disso. Contanto que lhes ofereçamos liderança firme, eles conseguem seguir adiante e superar praticamente qualquer fobia que tenham adquirido.

4

O PODER DA MATILHA

Existe um aspecto da psicologia canina que citei rapidamente no capítulo anterior, mas que é importantíssimo para a compreensão do relacionamento entre você e seus cães. É o conceito de matilha.

A *mentalidade de matilha* de seu cão é uma das maiores forças naturais envolvidas na formação do comportamento dele. A matilha de um cão é sua força de vida. O instinto de matilha é o primeiro instinto. O *status* do cão na matilha é seu eu, sua identidade. A matilha é tão importante para os cães porque, se alguma coisa ameaça a harmonia dela, ameaça a harmonia individual de cada animal. Se alguma coisa ameaça a sobrevivência da matilha, ameaça a sobrevivência de cada cão dentro dela. A necessidade de manter a matilha estável e funcionando bem é uma grande força motivadora para todos os cães – mesmo para um poodle mimado que nunca encontrou outro cão ou nunca saiu do quintal de casa. Por quê? Isso está profundamente enraizado em seu cérebro. A evolução e a Mãe Natureza se encarregaram disso.

É essencial que você entenda que seu cão vê todas as interações com outros cães, com você e mesmo com outros animais no contexto da matilha. Apesar de eu ter mostrado no capítulo anterior as diferenças entre a visão de mundo dos cães e a dos seres humanos, estes – na verdade todos os primatas – também são animais de matilha. As matilhas de cães não são tão diferentes do equivalente às "matilhas" de seres humanos. Chamamos nossas "matilhas" de famílias. Clubes. Times de futebol. Igrejas. Corporações. Governos. É claro que vemos nossos grupos sociais como infinitamente mais complexos que os grupos de cães, mas será que são tão diferentes assim? Quando paramos para pensar, vemos que os princípios básicos são os mesmos: todas as "matilhas" que mencionei têm uma hierarquia, pois do contrário não funcionariam. Têm um pai ou mãe, um presidente, um capitão, um sacerdote, um diretor, um dono. Além disso, existem diversos níveis de *status* para as pessoas abaixo do líder. É assim também que uma matilha de cães se constitui.

Os conceitos de matilha e de líder de matilha estão diretamente relacionados à maneira como os cães interagem conosco quando os levamos para casa.

A matilha natural

Se você observar um bando de lobos na floresta, perceberá um ritmo natural em seus dias e noites. Em primeiro lugar, os animais do grupo caminham, às vezes até dez horas por dia, para encontrar comida e água.[1] E então se alimentam. Se eles matam um veado, o líder fica com o pedaço maior, mas todos cooperam na divisão do restante. Comem até que a carne se acabe – não apenas por não terem congelador na floresta, mas também por não saberem quando conseguirão caçar outro veado. O que

[1] "Wolves in Denali Park and Reserve", National Park Service, Dept. of the Interior, disponível em: <http://www.nps.gov/akso/ParkWise/Students/Reference Library/DENA/WolvesInDenali.htm>.

comem hoje pode ser seu sustento durante muito tempo. Muitas vezes você perceberá esse mesmo comportamento em seu cão. Os lobos não se alimentam apenas quando têm fome, mas quando existem alimentos disponíveis. O corpo deles é feito para conservar o excedente que ingerem. É daí que se origina o apetite aparentemente insaciável de seu cachorro.

Apenas quando os lobos e cães selvagens terminam seu trabalho diário é que começam a brincar. É nessa hora que comemoram. E, na natureza, geralmente vão dormir exaustos. Ao observar os cães na fazenda do meu avô, nunca vi nenhum deles ter pesadelos como os cachorros domésticos. Eles mexiam as orelhas e os olhos, mas não gemiam nem se remexiam. Estavam tão exaustos devido ao trabalho diário e às brincadeiras que dormiam profundamente todas as noites.

Toda matilha tem seus rituais, que incluem andar, caçar, buscar água, comer, brincar, descansar e acasalar. E o mais importante é que toda matilha tem um líder. Os outros animais são os seguidores. Dentro da matilha, os animais se encaixam em ordem de *status*, geralmente determinada pelo nível de energia inata. O líder determina – e reforça – as regras e os limites para os membros.

Já expliquei que o primeiro líder de matilha de um cachorro é a mãe dele. Desde o nascimento, os filhotes aprendem a ser membros cooperadores da sociedade da matilha. Aos 3 ou 4 meses, depois do desmame, todos entram na estrutura comum da matilha e aprendem a seguir o líder, e não mais a mãe. Em grupos de lobos e de cães selvagens, o líder geralmente é macho, porque a testosterona – presente nos filhotes machos desde muito pequenos – parece determinar o comportamento dominante.[2]

---

[2] Bruce Fogle, *The Dog's Mind: Understanding Your Dog's Behavior*. Nova York: Macmillan, 1990, pp. 50-51.

Você verá um filhote macho montando em outros machos e fêmeas muito antes de estar sexualmente maduro – e não, isso não quer dizer que ele é bissexual. Quer dizer que ele está interpretando os comportamentos dominantes e submissos que serão importantes para sua vida adulta.

Apesar de os hormônios serem partes constituintes de um líder de matilha, a energia tem um papel muito mais importante. Quando há mais de um cão em casa, o dominante pode ser macho ou fêmea. O que importa não é o sexo, mas o nível de energia inata e quem estabelece a dominância. Em muitas matilhas existe um "casal alfa", um par, formado por uma fêmea e um macho, que parece controlar as coisas.

Na vida selvagem, os líderes de matilha nascem assim, não são feitos. Não freqüentam aulas para se tornar líderes, não preenchem fichas nem participam de entrevistas. Os líderes se desenvolvem cedo e demonstram suas qualidades de dominância ainda bem jovens. É aquela energia importante, sobre a qual falamos anteriormente, que separa o líder dos seguidores. Um líder de matilha tem de nascer com energia alta ou muito alta. A energia também deve ser dominante, além de calma e assertiva. Os cães com nível de energia baixo ou médio não se tornam líderes naturais de matilha. A maioria dos cães – assim como a maioria dos seres humanos – nasce para ser seguidora, e não líder. Ser líder de matilha envolve não apenas dominância, mas também responsabilidade. Pense em nossa espécie e na porcentagem de pessoas que gostariam de ter o poder e as prerrogativas do presidente da República, ou o dinheiro e os bens de Bill Gates. Então diga a essas pessoas que, para ter isso, precisam trabalhar 24 horas por dia, sete dias por semana, quase sem ver a família, e raramente tirar fins de semana de folga. Depois diga a elas que serão financeiramente responsáveis por milhares de pessoas, ou responsáveis pela segurança nacional de milhões de habitantes. Quantas aceitariam esses papéis de liderança após conhecer tais realidades? Acredito que a maioria escolheria uma vida confortável porém mais simples, em vez de grande poder e riqueza, se realmente compreendesse o trabalho e o sacrifício que a liderança exige.

De modo parecido, no mundo dos cães o líder de matilha é responsável pela sobrevivência dos membros do grupo. O líder leva os seguidores até a comida e a água. Ele decide quando caçar; decide quem come, quanto e quando; decide quando descansar, quando dormir e quando brincar. O líder estabelece todas as regras e disciplinas que os membros devem seguir. Precisa ter total confiança e saber o que está fazendo. E, assim como no mundo dos humanos, a maioria dos cães nasce para seguir, e não para realizar todo o trabalho necessário para manter a posição de líder de matilha. A vida é mais fácil e menos estressante para eles quando seguem as regras, os limites e as restrições que o líder da matilha lhes impõe.

Para um cão que nasce com disposição e energia dominante, pode ser mais difícil e demorado aceitar ser liderado por um humano. Animais assim não nasceram para ser seguidores. O instinto de estar numa matilha que funcione direito, porém, é mais forte que o instinto de ser o único líder. É importante lembrar que um cão com energia muito alta e dominante deve ficar com um ser humano que tenha energia, habilidades e conhecimento para lidar com um animal vigoroso. A pessoa que escolhe um cachorro desse tipo tem de se comprometer com a liderança – e deve levar esse comprometimento a sério.

Como discutimos antes, os líderes de matilha projetam energia calma e assertiva. Mesmo que você nunca tenha observado um grupo de lobos ou cães antes, não demoraria a identificar o líder. Ele tem uma postura dominante – cabeça erguida, peito estufado, orelhas em pé, rabo firme; às vezes pode até parecer arrogante. Os líderes de matilha são cães claramente confiantes, e essa é uma característica natural. Eles não estão fingindo, e não conseguiriam fingir se tentassem. Seus seguidores, por outro lado, projetam a energia conhecida como submissão calma. Caminham com a cabeça na linha do corpo ou abaixada e se mantêm atrás do líder enquanto avançam, com as orelhas relaxadas e para trás, o rabo balançando e sempre abaixado. Se o líder da matilha os desafia, eles podem se afastar, se abaixar ou mesmo deitar e rolar, expondo a barriga. Ao fazer isso, basicamente estão dizendo: "Você é o chefe, e não questiono esse fato. O que você disser está correto".

Sem espaço para fraqueza

Na natureza, se um líder de matilha demonstrar qualquer fraqueza, ele será atacado e substituído por um membro mais forte. Isso acontece com todas as espécies animais que vivem em sistemas sociais de agrupamento. Apenas os fortes podem liderar. Na verdade, a fraqueza extrema não é tolerada em nenhum membro da matilha. Se há um animal muito fraco e retraído, ele será atacado pelos outros. A fraqueza não tem lugar em nenhuma espécie animal – apenas na nossa. Essa é uma das diferenças mais interessantes entre os seres humanos modernos e o restante do reino animal. Não só aceitamos a fraqueza em alguns de nossos membros como também salvamos nossos irmãos "fracos"! Reabilitamos pessoas em cadeiras de roda, cuidamos dos doentes, arriscamos nossa vida para salvar um "membro da matilha" que talvez não consiga sobreviver. Enquanto o que alguns pesquisadores chamam de "comportamento altruísta" tem sido notado em muitas outras espécies (principalmente em outros primatas),[3] os seres humanos levam esse tipo de gentileza a ní-

[3] Elizabeth Pennisi, "How Did Cooperative Behavior Evolve?", *Science*, 309, 5731, 1º/7/2005, p. 93.

veis extraordinários, em comparação com a maioria dos outros animais.

Não salvamos apenas nossa espécie; salvamos outros animais também. Somos a única espécie que ajuda focas, crocodilos, hienas e baleias. Você nunca verá uma zebra salvando um elefante ferido. Pense nas pessoas que você conhece que adoram animais – cães, leões, cavalos. Todos os animais parecem ter seu "fã-clube" entre os seres humanos – um grupo de pessoas com tanta compaixão por determinada espécie que salvaria até mesmo o mais deplorável indivíduo daquela espécie.

Muitos cães chegam tão mal ao Centro de Psicologia Canina que aquela é sua última chance, e eu os recupero. Já tive um cão com três pernas, outro sem orelhas, outro sem um dos olhos e um que foi resultado de uma endogamia tão severa que sempre terá problemas mentais. É por eu ser humano que sinto pena desses cães e faço qualquer coisa para lhes dar outra chance de viver de modo completo e feliz. Mas em seu *habitat* natural, os cães não sentem pena dos animais frágeis e vulneráveis. Eles os atacam e matam. Não existe nada intencionalmente cruel nisso – lembre que também somos a única espécie com senso de moralidade, de certo e errado. Acontece que um animal fraco coloca em risco o resto da matilha, e a natureza deu aos animais o instinto de procriação dos membros mais fortes, para que a próxima geração tenha uma chance maior de sobreviver e procriar de novo. A natureza se policia.

Nossa tendência para salvar os outros vem de nossa energia emocional. Nossa compaixão e nossa natureza amável são coisas belas e parte do milagre de sermos humanos. Mas, para outros animais, a energia emocional pode ser vista como fraqueza. O amor é uma energia amena, então, ao menos quando se trata da sobrevivência da matilha, o amor em si é realmente um tipo de fraqueza. Os animais não seguem uma energia fraca ou amena.

Não seguem uma energia de compaixão. A despeito de são Francisco de Assis e seus pássaros, os animais não seguem um líder espiritual. Não seguem um líder amável. Também não seguem uma energia exageradamente agitada. Nós somos uma espécie que vive em grupos, mas também somos a única espécie do mundo a seguir um líder instável. Os animais – sejam eles cavalos, cães, gatos ou carneiros – seguem apenas um líder estável. O equilíbrio desse líder se reflete em sua energia consistentemente calma e assertiva. Por isso, quando projetamos uma energia agitada, amorosa, emocional ou mesmo muito agressiva aos animais de nossa vida – principalmente se for a *única* energia que projetamos –, é muito mais provável que eles nos vejam como seguidores, não como líderes.

Liderar ou seguir?

Para os cães, só existem dois papéis num relacionamento: o de líder e o de seguidor. Dominante e submisso. Ou é branco ou é preto – não existe meio-termo no mundo canino. Quando um cão vive com um ser humano, para que este seja capaz de controlar o comportamento do animal, deve se comprometer a assumir o papel de líder 100% do tempo. Simples assim.

Mas não parece tão simples para muitos de meus clientes. Centenas deles me telefonam e dizem que estão desesperados porque têm a vida controlada pelos problemas de comportamento de seus cães. Talvez alguns tenham dificuldade em compreender o paradigma dominante-submisso, porque, no mundo dos seres humanos, essas palavras têm um peso grande. Quando ouvimos a palavra *dominância*, podemos pensar em um marido que agride a esposa, um bêbado brigando no bar, um valentão na escola roubando o lanche das outras crianças, ou mesmo um homem ou uma mulher mascarada e com chicotes num clube de sadomasoquismo. A palavra nos faz pensar em crueldade. É importante lembrar que, no reino animal, a palavra *crueldade* não existe. E a dominância não é um julgamento moral nem uma experiência emocional. É simplesmente um estado de ser, um comportamento tão natural quanto acasalar, se alimentar e brincar.

Submisso, como dizemos aqui, não é um julgamento ético. Não designa um ser humano ou um animal fraco. Submisso não quer dizer vulnerável ou ineficiente. É simplesmente a energia e o estado de espírito de um seguidor. Entre todas as espécies que vivem em grupos, deve haver certo grau de dominância e submissão para que a hierarquia dê certo. Pense num escritório cheio de funcionários. O que aconteceria se todos chegassem e fossem embora quando quisessem, fizessem quatro horas de almoço e brigassem entre si e com o chefe o dia todo? Seria uma situação de caos, certo? Você não vê como "fraco" um funcionário que chega no horário, se dá bem com os colegas e realiza seu trabalho sem criar conflitos, não é? Você o vê como colaborador, como um bom membro da equipe. Mas, para que exista uma "equipe", esse funcionário tem de aceitar certo grau de submissão. Tem de compreender implicitamente que o chefe toma as decisões e que é sua obrigação segui-las.

Correndo o risco de ser considerado politicamente incorreto, ainda uso os termos *dominante* e *submisso*. Para mim, eles descrevem bem a estrutura social dos cães. Para um cão, não existe julgamento na questão de quem é dominante e quem é submisso, seja numa matilha de vários cães, seja numa de apenas um cão e um ser humano. Um cão não leva para o lado pessoal o fato de você tirar dele o papel de líder. Pelo que já observei, a maioria dos cães se sente aliviada por saber que seu dono é o líder. Agora que os integramos ao nosso mundo, existem muitas decisões diárias complicadas que precisam ser tomadas e para as quais a natureza não os preparou. Eles não conseguem chamar o táxi, empurrar o carrinho de supermercado ou sacar dinheiro do caixa automático – pelo menos não sem um treinamento muito especializado! Os cães percebem isso, e tenho visto milhares deles ficarem visivelmente relaxados, pela primeira vez na vida, quando os donos assumem uma posição de verdadeira liderança. Mas lembre-se: quando um cão percebe que o dono não está pronto para o desafio de liderar a matilha, ele entra em cena para tentar ocupar esse espaço. Faz parte da natureza dele agir assim, para tentar manter a matilha funcional. Da maneira como o cão enxerga essa situação, alguém tem de comandar o espetáculo. E, quando ele assume o papel, os resultados são geralmente desastrosos, tanto para ele mesmo quanto para o homem.

O "paradoxo do poderoso"

Como mencionei anteriormente, muitos de meus clientes são pessoas superpoderosas, que estão acostumadas a assumir o controle em todas as outras áreas da vida. Para os seres humanos que os cercam, eles projetam uma energia tão grande que podem ser quase assustadores! Já vi alguns deles darem ordens e gritarem comandos a seus funcionários, e já vi esses funcionários se assustarem ao escutar o som da voz do chefe. Isso é energia submissa! Os funcionários então tropeçam uns nos outros para satisfazer as exigências do chefe – e não restam dúvidas sobre quem está no comando. Mas essa é uma das ironias do meu trabalho, a qual chamo de "paradoxo do poderoso". Quando essas pessoas influentes voltam para casa, a única energia que projetam aos cães, desde o momento em que abrem a porta da frente, é a energia emocional. "Ooooh! Olá, Pookey, seu danadinho! Venha dar um beijinho na mamãe! Veja só, seu cãozinho malvado: é o segundo sofá que você come este mês!"

Não tenho a intenção de rir desses clientes, porque simpatizo com eles. Tentar ser o chefão no mundo dos seres humanos é uma experiência incrivelmente estressante. Sei que é muito bom voltar para casa, encontrar um animal adorável e relaxar, brincando com uma criatura que não parece julgá-lo e a quem você não precisa provar seu valor o tempo todo. Ficar com seus cães macios e peludos é uma ótima terapia para esses clientes. É como um reconfortante banho quente e demorado. E, sob alguns aspectos, isto é verdade – os cães não os julgam, pelo menos não da maneira como essas pessoas estão acostumadas a ser julgadas. Os cães não se importam se o dono tem cem milhões de dólares, uma casa na praia ou uma Ferrari. Não querem saber se o último CD de sua dona ganhou disco de platina ou se foi um fracasso, se ela ganhou o Oscar este ano, se teve sua série de TV cancelada. Não percebem se a dona engordou dez quilos ou se acabou de se submeter a uma cirurgia plástica. Mas eles *julgam*, no entanto, quem é o líder e quem é o seguidor no relacionamento. E, quando esses poderosos voltam para casa e permitem que os cães pulem neles, quando passam a noite toda mimando-os, correndo atrás deles pela casa e atendendo a todos os seus caprichos, fica claro que os animais percebem algo: aquela pessoa, considerada tão importante no mundo dos seres humanos, se tornou uma seguidora na visão do cão.

Oprah e Sophie

Oprah Winfrey – meu modelo de comportamento profissional – é um perfeito exemplo do fenômeno que acabei de descrever. No mundo dos seres humanos, ela não só está sempre no comando como também é surpreendentemente calma e equilibrada. Em minhas palestras, sempre a cito como o exemplo perfeito de energia calma e assertiva em ação, porque ela é realmente a melhor nesse aspecto. Oprah não precisa provar que é importante – essa informação simplesmente irradia de seu ser. Ela também é um modelo de imitação dos animais em sua capacidade de viver o presente. Oprah já veio a público contar a história de seu passado, o que certamente não foi fácil. Ela também teve de superar o obstáculo de ser uma mulher negra, o que foi um grande problema no começo de sua carreira. Mas, diferentemente da maioria dos seres humanos, Oprah tem cultivado a capacidade de seguir adiante. Seu passado nunca a deteve. Ela é, na minha opinião, um exemplo brilhante do potencial humano. E, acima de tudo isso, continua sendo uma pessoa muito boa e generosa.

Desde que cheguei aos Estados Unidos, sempre sonhei em ir ao *The Oprah Winfrey Show*. Para mim, ir ao programa dela era sinônimo de ter alcançado o verdadeiro sucesso no país. E, quando finalmente fui convidado, o encontro superou minhas maiores expectativas. Oprah foi graciosa, perspicaz, indagadora e engraçada, e chamou minha esposa, Ilusion, que estava na platéia, para fazer parte da experiência. O dia todo foi como um sonho para mim. O motivo de eu estar no programa, no entanto, era o pesadelo secreto de Oprah, seu ponto fraco escondido. Oprah – meu exemplo de calma e assertividade – estava permitindo que sua cadela, Sophie, tomasse conta de tudo!

Em 2005, quando encontrei Oprah pela primeira vez, em sua enorme propriedade com vista para o mar em Santa Barbara, ela tinha dois cães: Sophie e Solomon, dois cocker spaniels. Solomon era o submisso e era muito velho e frágil. Mas Sophie – com dez anos na época – tinha um problema que estava se tornando perigoso. Quando Oprah passeava com ela, se outro cão se aproximasse, Sophie mostrava os dentes, adotava uma postura defensiva e chegava a atacá-lo. Também tinha sérios problemas de ansiedade nos momentos de separação, quando Oprah e seu parceiro, Steadman, a deixavam sozinha. Diferentemente de alguns de meus clientes, Oprah sabia que nem tudo era culpa de Sophie. Sabia que havia coisas que ela mesma poderia fazer de outro jeito para ajudar a mudar o comportamento da cadelinha. Mas não tenho certeza de que ela estava preparada para ouvir o que eu tinha a dizer.

Durante a consulta – a parte do meu trabalho em que simplesmente escuto o lado humano da história –, pude perceber, pelas palavras de Oprah, que Sophie não era apenas sua cadela – era seu bebezinho. "Ela é minha filha!", Oprah me disse. "Eu a amo como se ela tivesse nascido de mim." Dizer que Oprah havia "humanizado" Sophie é pouco.

Enquanto conversávamos, fiquei sabendo que Sophie sempre fora insegura. Tanto Oprah como Steadman afirmaram que, quando a trouxeram para casa, ela se escondia debaixo da mesa e demonstrava pouca auto-estima. O que Oprah fez então? O que a maioria dos donos de cachorro faz: usou da psicologia humana para ajudar Sophie, fazendo-lhe carinho e consolando-a. Sempre que Sophie se mostrava assustada ou temerosa, Oprah a tratava com carinho e com energia emocional. Sem saber, ela estava fazendo com Sophie a mesma coisa que Marina fizera com Kane depois que ele havia escorregado no chão. Ao aplicar psicologia humana a um cão em desespero, as duas mulheres estavam, sem querer, alimentando o comportamento inseguro do animal.

Não consigo dar ênfase suficiente ao fato de os cães captarem todos os sinais de energia que lhes enviamos. Eles lêem nossas emoções o tempo todo. Oprah, que superou um passado difícil apegando-se ao "agora", nunca vivia o momento presente com Sophie! Desde o instante em que começava a pensar em sair para passear com a cadelinha, imaginava a possibilidade de Sophie atacar outro cão. Ela se lembrava de brigas passadas e achava que outras aconteceriam. Tudo isso deixava Oprah tensa e emocional – energias que Sophie naturalmente interpretava como fraqueza. Isso estabelecia a dinâmica entre elas desde o momento em que Oprah pegava a coleira – mesmo *antes* do passeio.

Oprah começava o passeio deixando Sophie ser a primeira a sair pela porta – um erro clássico, que quase todos os donos de cães cometem. É importante estabelecer a liderança desde a soleira da porta. Quem sai primeiro é o líder. Em seguida Oprah piorava o erro, deixando Sophie *guiá-la* durante o passeio. Na matilha, o líder sempre vai à frente, a menos que dê "permissão" para que outro cachorro faça isso. Com Sophie no comando, as duas basicamente iam aonde a cadela queria. Como sempre temia que Sophie entrasse numa briga, Oprah era insegura e ansiosa. Enquanto isso, Sophie ia à frente. Até uma criança poderia apontar quem era o líder e quem era o seguidor naquela situação!

Tive de lembrar a Oprah que ela, a dona do cão, era a única no relacionamento que estava preocupada com o que poderia acontecer no passeio, com base em experiências anteriores. Sophie não pensava nisso. Vivia o presente, aproveitando a grama, as árvores e a brisa fresca do mar. Ela não pensava: "Será que terei de atacar um daqueles cachorros chatos do vizinho?" As brigas anteriores nas quais se metera também não tinham sido premeditadas. Sophie não ficava acordada à noite pensando: "Detesto aquela cadelinha, Shana, e pretendo mordê-la assim que tiver a chance". Como todos os cães, ao atacar outros cachorros, ela simplesmente estava reagindo a um estímulo que havia ocorrido naquele momento.

E o que acontecia quando Sophie encontrava outro cão e começava a demonstrar sinais de agressividade? Oprah segurava a cadelinha no colo e a salvava da situação, ou ficava muito nervosa, implorando que Sophie parasse, e se desculpava com o dono do outro cão. Dessa forma, ela não agia como líder de matilha nem corrigia o comportamento de Sophie. Quando um líder de matilha repreende outro cão, ele põe um ponto final no comportamento inaceitável. Cães calmos e submissos sempre prestam atenção nas instruções do líder da matilha.

Então, o que estava levando Sophie a ter tais reações agressivas? Sophie era o que eu descrevo como insegura e dominante – não era um cão naturalmente agressivo, mas, quando via outro cão que lhe causava uma reação de medo, reagia mostrando os dentes e fazendo ameaças. Lembre-se de que um animal tem apenas quatro reações possíveis a qualquer ameaça: brigar, escapar, evitar ou submeter-se. A reação de Oprah diante do comportamento agressivo de Sophie simplesmente piorava a situação. Oprah ficava tensa e tomada pelo medo, mostrando a Sophie que sua dona não estava no controle. Após o incidente, Oprah consolava Sophie, fazia-lhe carinho e tentava confortá-la, dizendo que estava tudo bem. Mais uma vez, era uma boa psicologia para lidar com uma criança assustada, mas não era psicologia canina, de modo algum! É natural que os seres humanos confortem animais assustados da melhor maneira que conhecemos – com gentileza e apoio. No entanto, dar carinho a Sophie naquele momento era como dizer: "Legal, você mostrou para aquele cachorro malvado com quem ele está mexendo". Quando demonstramos carinho a uma mente que desenvolveu um comportamento instável, essa mente não progride. No caso de Sophie, isso aumentou sua ansiedade a ponto de, ao se sentir acuada, ficar agressiva.

Tive de dizer a Oprah que ela teria de mudar sua abordagem em relação a Sophie se quisesse que sua cadela se tornasse o animal estável e equilibrado que deveria ser. Por ser muito inteligente, Oprah compreendeu o fundamento desse conceito imediatamente, mas ainda assim não foi fácil vencer a barreira pessoal que a fazia ver Sophie como sua "menininha". Lembro-me de ter dito a ela, certa vez: "Você não está demonstrando liderança". Oprah ficou muda por um segundo. Virou-se e olhou para Steadman. Então me perguntou, lentamente: "Está dizendo que *eu* não sou uma líder?" Isso mesmo. Eu estava dizendo à mesma mulher que a *Forbes* afirma valer um bilhão de dólares e que atualmente é a celebridade e a nona mulher mais poderosa do mundo[4] que ela não estava sendo uma líder para sua cocker spaniel de dez quilos.

Como todos os seres humanos que amam animais de estimação, Oprah queria apenas o melhor para seus cães. Mas sua compreensão a respeito do que era melhor vinha de uma perspectiva humana. Ela só queria amar seus cães e lhes dar a melhor vida possível. Mas eles não tinham lido a *Forbes* nem consultado o extrato de sua conta bancária. Não se importavam se a casa dela havia sido mobiliada pelos mais famosos decoradores ou pelo Exército de Salvação. Os cães de Oprah a amariam da mesma maneira se ela fosse à falência amanhã (apesar de que, como ela mesma diz, os dois cães certamente notariam a diferença se, de repente, tivessem de viajar no espaço destinado a animais no avião comercial, e não no conforto de seu jatinho particular). O que seus cães queriam, acima de tudo, era se sentir seguros dentro da "matilha" da família de Oprah. E, claramente, Sophie não estava se sentindo segura.

Oprah precisava aprender a se tornar uma líder de matilha. Ela já era líder no mundo dos seres humanos; agora tinha de praticar o tipo de liderança que um cão compreenderia.

Regras, limites e restrições

Na natureza, o líder de matilha estabelece as regras e não as abandona. Um grupo não sobrevive sem regras, independente-

[4] Elizabeth MacDonald e Chana R. Schoenberger, "Special Report: The World's Most Powerful Women", *Forbes*, 28/7/2005.

mente da espécie. Em muitos lares humanos, as regras, os limites e as restrições para os cães não são claros. Às vezes nem existem. Assim como as crianças, os cães precisam de regras, limites e restrições para se socializar corretamente. Na casa de Oprah, por exemplo, Sophie não tinha muitas regras, e as que existiam não eram sempre seguidas. Às vezes, quando Sophie chorava ao ser deixada sozinha, Oprah voltava e a pegava, para levá-la consigo. Outras vezes, ela voltava e pedia que Sophie parasse com aquilo – mas geralmente o comportamento já tinha ultrapassado o ponto da correção. Os psicólogos de animais e de pessoas costumam chamar isso de "reforço intermitente", e se você tem filhos provavelmente sabe que esse tipo de comportamento nunca funciona. Se permitir que seu filho pegue um biscoito do vidro num dia e resolver puni-lo no outro, a criança sempre tentará de novo, na esperança de conseguir se safar. O mesmo acontece com os cães. O reforço intermitente de regras é um modo certeiro de criar um cão instável e desequilibrado.

Apesar de Sophie ter vivido em um estado desequilibrado por dez anos, sem regras sólidas, limites e restrições, eu disse a Oprah que quase nunca é tarde demais para reabilitar um cão. Até mesmo os seres humanos podem mudar de vida aos 50, 60 ou 70 anos, e temos muito mais problemas que os cachorros! Oprah estava ansiosa para resolver a questão, mas ficou chocada quando cheguei a sua casa com mais cinco cães: Coco, nosso chiuaua; Lida e Rex, nosso casal de galgos italianos; um lhasa apso chamado Luigi, que pertence a Will Smith e Jada Pinkett Smith; e o cão que deixou Oprah mais tensa, Daddy, o pit bull robusto e com cara assustadora que fica com minha matilha quando o dono, o *rapper* Redman, está viajando. Daddy tem a melhor energia de todos os animais na matilha. Eu o vi pela primeira vez quando ele tinha 4 meses de vida, época em que Redman o trouxe ao meu centro recém-inaugurado. Já virou moda entre os *rappers* ter cães grandes e com cara de maus, por *status*. Redman é diferente – é um dono responsável. Ele disse: "Quero um cão que eu possa levar a qualquer lugar do mundo comigo. Não quero ser processado". Comecei a trabalhar com Daddy desde aquele dia, e ele nunca deixou de se sentir realizado como cão. Todos que o vêem se apaixonam por ele, apesar de sua aparência temível. Daddy ajudou muitos cães a se tornarem equilibrados, simplesmente dividindo sua energia calma e submissa. E ele é um pit bull, o que mostra que, quando se trata de comportamento animal, a energia e o equilíbrio podem superar – e superam – a influência da raça. Todos os cães que levei à casa de Oprah eram muito equilibrados. Estavam ali para oferecer a Sophie uma "terapia em grupo".

A reação de Sophie aos outros cães foi bem previsível. Quando os viu, ela ficou em pé na porta, paralisada. Entre brigar, fugir, evitar e submeter-se, ela estava escolhendo evitá-los! Eu a levei para perto dos outros cães e lhe aplicava um leve corretivo com a coleira sempre que percebia seus lábios se curvarem conforme ela sentia medo ou ansiedade. Minha energia foi calma e assertiva o tempo todo. A princípio, tive de pedir a Oprah que se afastasse; ela estava com tanto medo que Sophie passou a assimilar sua energia. Depois de dez minutos, Sophie conseguiu relaxar. Cerca de meia hora depois, estava assimilando a energia calma e submissa do grupo e parecia se divertir. Ainda estava hesitante, mas sua linguagem corporal começava a ficar calma e relaxada. É o poder da matilha a seu favor – um grupo de cães equilibrados ajudando um cão instável em questão de minutos. Mas a energia que eu passava a Sophie por meio da coleira também era essencial. Eu era seu líder de matilha e a instruía a se dar bem com o restante do grupo, sem incertezas e medos. E Sophie entendeu a mensagem.

Oprah e Steadman ficaram encantados ao ver Sophie interagir de modo tão calmo com os cães. Apenas o fato de isso ser possível já os arrepiava. Eu lhes passei uma "lição de casa": tornar um hábito a interação de Sophie com outros animais e praticar a liderança calma e assertiva. Assim como uma dieta, a liderança calma e assertiva não funciona se não for praticada todos os dias. Seria somente por meio de "terapia" constante que Sophie mudaria definitivamente.

Um cão geralmente aceita um ser humano como líder de matilha se a pessoa projetar a energia calma e assertiva correta, estabelecer regras, limites e restrições sólidas e agir de modo responsável para a sobrevivência da matilha. Isso não quer dizer que não podemos ser líderes de matilha unicamente *humanos*. Assim como os cães, para viver entre nós, não devem abrir mão do que os torna diferentes, também não podemos desistir do que nos torna tão especiais como seres humanos. Somos, por exemplo, os únicos líderes de matilha que podem amar os cães da maneira como os seres humanos definem o amor. O líder de matilha canino não compra brinquedos para os seguidores nem lhes faz festas de aniversário. Ele não recompensa o bom comportamento deles. Não olha para trás e diz: "Puxa, rapazes! Obrigado por me seguirem por quinze quilômetros!" Ele espera que eles façam isso! Uma cadela não diz aos filhotes: "Sabem de uma coisa? Vocês se comportaram muito bem hoje. Vamos à praia!" Na natureza, a recompensa está no processo. (Esse é um conceito que nós, seres humanos, poderíamos lembrar de vez em quando.) Para o cão, a recompensa está no fato de simplesmente se encaixar na matilha e ajudar a garantir sua sobrevivência. A cooperação automaticamente resulta nas recompensas primárias:

comida, água, brincadeiras e sono. Recompensar nossos cães com os presentinhos e as coisas de que gostam é uma maneira de criar laços com eles e reforçar seu bom comportamento. Mas, se não projetarmos uma forte energia de liderança antes de dar a recompensa, nunca teremos uma "matilha" funcional.

Líderes de matilha sem lar

Apesar de a ligação entre ser humano e cão ser única nos dois lados da equação, não podemos desempenhar apenas o papel de melhor amigo, de quem ama o cão. Quando desempenhamos esse papel, automaticamente satisfazemos em primeiro lugar nossas necessidades, e não as do animal. Somos nós que precisamos de afeto constante e de aceitação incondicional.

Quais você acha que são os cães mais felizes e estáveis? De acordo com o que sempre observei – e você pode achar difícil acreditar –, penso que os cães que vivem com os sem-teto geralmente têm a vida mais equilibrada e satisfatória. Vá ao centro de Los Angeles ou ao parque que se vê do píer de Santa Monica e observe os sem-teto que têm cães. Esses cães não são lindos como os de exposição, mas quase sempre se comportam bem e não são agressivos. Observe um sem-teto caminhando com um cão e verá um bom exemplo de linguagem corporal entre líder de matilha e seguidor. Geralmente o sem-teto não tem coleira para pôr no cachorro, mas este o segue, ao lado ou atrás. O cão obedece ao líder de matilha, como a natureza o ensinou a fazer.

"Sem-teto?", você pode perguntar. "Como os cães deles podem ser mais felizes? Eles não lhes dão rações orgânicas! Não podem levá-los ao *pet shop* para tomar banho e ser tosados duas vezes por mês nem ao veterinário!" É verdade, mas os cães não conhecem a diferença entre ração comum e orgânica, não pensam em tosas, e na natureza não existem veterinários. Muitas vezes, os sem-teto não têm objetivos de vida – não como os donos ricos de cães. Alguns deles parecem se satisfazer em andar pelas ruas, pegar latinhas, procurar comida e encontrar um local quente para dormir. Esse estilo de vida pode parecer inaceitável para muitos seres humanos. Mas, para um cão, essa é a rotina ideal que a natureza criou para ele. Ele consegue se exercitar tanto quanto precisa e é livre para ir aonde quiser. Na natureza, todos os animais têm "territórios" – alguns grandes e outros pequenos –, que gostam de atravessar várias vezes. A exploração é uma característica animal comum e, geneticamente, tem a ver com sobrevivência,[5] porque, quanto mais um animal explora, mais provavelmente encontrará comida e água, e mais informações terá a respeito do mundo.[6] Em Los Angeles, percebi que os cães que vivem com os sem-teto conhecem a cidade muito mais que um animal que vive numa casa. O cão que vive na casa tem um quintal gigantesco. Mas, para ele, aquilo é apenas um canil enorme. O cão sem lar caminha vários quilômetros e depois vai para a cama cansado. O cão doméstico vê a casa, o interior do carro e o salão do *pet shop* – e vai dormir com energia e frustração acumuladas.

Não se cria equilíbrio num cão dando-lhe coisas materiais, e sim permitindo que ele expresse completamente o lado físico e o psicológico de seu ser. Vivendo com um sem-teto, o cão busca alimento. Geralmente trabalha por alimento, e, mesmo sem a coleira, existe uma relação clara de líder e seguidor entre a pessoa e o cão.

Muitas pessoas que solicitam minha ajuda têm problemas ao passear com os cães, devido a todas as distrações que fazem o

---

[5] R. Butler e H. F. Harlow, "Persistence of Visual Exploration in Monkeys", *Journal of Comparative and Physiological Psychology*, 46, 1954, p. 258.

[6] E. E. Shillito, "Exploratory Behavior in the Short-Tailed Vole *Microtus arestis*", *Behavior*, 21, 1963, pp. 145-54.

animal puxar a coleira, sair correndo ou latir – crianças, carros, outros cães. Essas pessoas acreditam que o problema está no cão. Mas observe um cachorro com um sem-teto. Esse animal nunca passou por nenhum treinamento. Ele e o dono andam por ruas movimentadas e encontram gatos, vagabundos, crianças com patinete, pessoas puxando cães pela coleira – mas ele segue em frente. É o que acontece na natureza: um grupo de cães ou de lobos nunca conseguiria se manter unido se os animais saíssem correndo desordenadamente, para onde quisessem, distraindo-se com sapos e borboletas! O sem-teto age como um líder de matilha se os cães se distraírem – só precisa lançar um olhar ou um resmungo ao animal para lembrá-lo das regras e colocá-lo de volta no caminho certo. No final do dia, essa pessoa recompensa o cão com alimento e carinho antes de dormir. Eles dividem uma existência muito primitiva, provavelmente bem parecida com os relacionamentos que havia entre nossos ancestrais e os cães.

Quem é o chefe na sua casa?

Quando meus clientes começam a compreender os conceitos de matilha e de líder de matilha, geralmente me perguntam: "Como sei quem é o líder de matilha na minha casa?" A resposta é muito simples: quem controla a dinâmica do relacionamento.

Seu cão pode lhe dizer de diversas maneiras, com clareza e veemência, quem é o dominante na relação entre vocês dois. Se ele pula em você quando você volta para casa no final do dia, não está apenas feliz em vê-lo. Ele é o líder da matilha. Se você abre a porta para sair para um passeio e ele sai na sua frente, não é só porque adora passear. É porque ele é o líder da matilha. Se ele late para que você o alimente, não é por ser "engraçadinho". É porque ele é o líder da matilha. Se você está dormindo e ele o acorda às cinco da manhã para dizer: "Deixe-me sair, preciso fazer xixi", então ele está lhe mostrando, antes mesmo de o sol nascer, quem manda na casa. Sempre que ele faz essas coisas, mostra que é o líder. Simples assim.

Na maioria das vezes, os cães são líderes no mundo dos humanos porque as pessoas dizem: "Não é uma gracinha? Ele está tentando me falar alguma coisa". É a velha síndrome de Lassie: "O que foi, Lassie? O vovô caiu dentro do poço?" Sim, ser humano, nesse caso seu cão *está* tentando lhe dizer algo – está fazendo você se lembrar de que ele é o líder, e você, o seguidor.

Então, quando você acorda na hora que quiser, você é o líder da matilha. Quando abre a porta porque quer, é o líder. Quando sai de casa antes de seu cão, é o líder. Quando toma as decisões em sua casa, é o líder. E não estou falando sobre 80% do tempo. Estou falando sobre 100% do tempo. Se você exercer apenas 80% da liderança, seu cão o seguirá em apenas 80% do tempo. E nos outros 20% ele comandará o espetáculo. Se você der ao seu cão a oportunidade de ser líder, ele não vai desperdiçá-la.

Pepper e os perigos da liderança parcial

O que acontece quando desempenhamos o papel de líderes parciais para nossos cães? Já vi situações nas quais os seres humanos demonstravam ter liderança, energia e comportamentos corretos, mas não em todas as ocasiões. Essa fórmula é perfeita para tornar o cão desequilibrado, porque, para ele, ainda mais confuso do que ter de ser líder de humanos é não saber quando liderar e quando seguir.

Vejamos outro exemplo da primeira temporada de *Dog Whisperer*. Christopher, um fotógrafo, adotou uma adorável cadela chamada Pepper, da raça wheaten terrier mista, e os dois se deram muito bem. Todos os dias Chris saía de casa e ia para o estúdio que dividia com outro fotógrafo, e treinou Pepper para acompanhá-lo. Pepper era tão bem-comportada nos passeios que Chris passou a não mais pôr a coleira nela. Ver os dois juntos era testemunhar o mesmo relacionamento de líder e seguidor encontrado entre pessoas sem-teto e seus cães. Carros e crianças em *skates* podiam passar, buzinas podiam ser acionadas, e Pepper mantinha-se caminhando ao lado de Chris, com a cabeça baixa, balançando o rabo. Uma palavra dele bastava para corrigi-la quando se distraía. Estava claro que Pepper adorava os passeios que faziam juntos; sempre chegava ao estúdio renovada e relaxada.

Mas, dentro do estúdio, Pepper mostrava seu outro lado. O estúdio onde Chris e Scott, seu sócio, trabalhavam era o mesmo local onde tiravam fotos de clientes. Isso significa que diferentes pessoas entravam e saíam várias vezes por dia. Pepper parecia não gostar de vê-las entrando. Ela corria para a porta, rosnava, latia e mordia o calcanhar do visitante, "guiando-o" para o meio da sala.

Enquanto Chris e Scott preparavam os equipamentos, pediam que os clientes aguardassem em uma sala de espera. Infelizmente, Pepper havia decidido que o grande sofá de couro naquela sala era "o seu" sofá. Os clientes que se sentavam ali deparavam com rosnados amedrontadores e chegavam a ser ameaçados com mordidas.

Esse claramente não era o tipo de comportamento que podia ser tolerado. Não era inofensivo – Pepper já tinha rasgado um pedaço da calça de um dos clientes e, se os continuasse afugentando, acabaria prejudicando o negócio de Chris e Scott. Chris temia ter de se livrar dela, já que muitas pessoas não conseguem encontrar novos donos para seus animais (e quem se atreve a ficar com um animal que tem problemas?). Isso significaria devolvê-la ao abrigo. Infelizmente, 56% dos cães que vão para abrigos – principalmente aqueles que já retornaram diversas vezes – acabam sendo mortos, simplesmente porque é impossível encontrar um ser humano que se dê bem com eles.[7]

Chris entrou em contato comigo como última alternativa. Estava pensando seriamente em abrir mão de Pepper. Ao conversar com Chris e Scott, percebi que eles não estavam demonstrando liderança dentro do estúdio. Desde o momento em que chegava, ela tomava conta do local – nada de regras, limites e restrições. Chris chegava e imediatamente se concentrava no trabalho, e Pepper ficava sozinha. Como nenhum dos dois rapazes agia como líder no local – pelo menos não no sentido canino –, Pepper concluiu que dependeria dela. Ela era a rainha, e protegia seu território de modo neurótico, da única maneira que sabia.

Foi durante nossa conversa que descobri que Chris conseguia perfeitamente caminhar pelas ruas com Pepper, sem prendê-la com a coleira. É muito mais difícil controlar um animal fora de casa, com todas as distrações que existem, do que nos limites da residência. Vejo muito mais casos de cães que obedecem aos donos dentro de casa, mas se rebelam na rua, por isso o caso de Pepper me deixou intrigado. Pedi a Chris que me mostrasse como caminhava com Pepper para ir ao trabalho, e vi um animal completamente diferente. Também vi um Chris completamente diferente! Ele era concentrado e ficava no comando, cuidando de Pepper, e os dois pareciam emocionalmente em sintonia. Por que a situação era tão radicalmente diferente no estúdio?

Basicamente, quando Chris chegava ao estúdio, seu comportamento mudava muito. Toda a ótima disciplina que aplicava a Pepper ia embora no momento em que eles entravam pela porta. Chris abandonava sua posição de líder, em parte por falta de conhecimento sobre psicologia canina, mas também porque não

[7] Fonte: American Humane Association.

é fácil ser líder. É preciso energia e concentração para ser líder o tempo todo, e Chris geralmente estava tão ocupado e apressado no trabalho que não conseguia dar atenção às regras que deveriam ser impostas a Pepper. Quando deixavam o estúdio, ele redirecionava sua energia para ser o líder de novo, e tudo ficava bem. Mas agora, como a situação tinha fugido tanto de controle, ele teria de recomeçar do zero se quisesse que a cadela o respeitasse dentro do estúdio.

Ensaiamos várias situações com pessoas entrando no local, e observei como Chris permitia que Pepper ficasse agitada toda vez que a campainha tocava. Mostrei a ele como fazê-la sentar-se quieta, de modo submisso, antes mesmo de a porta ser aberta. É possível saber se um cão é submisso observando suas orelhas e seu olhar, mas é preciso estar em sintonia para perceber a energia submissa. Chris ensinara Pepper a obedecer a comandos, e eu o vi dizendo a ela várias vezes (de modo pouco convincente): "Deitada". Ela abaixava o corpo, mas era claro que sua mente ainda estava ativa e inquieta. Suas orelhas se moviam, e ela mantinha os olhos fixos na porta. Quando esta era aberta e o visitante entrava, ela ficava agitada de novo.

Mostrei a Chris que, mais importante do que Pepper ficar deitada quando a porta se abrisse, era que ela estivesse submissa e relaxada. Mostrei a ele também como lhe dar uma ordem mostrando que não estava brincando. Basicamente, Chris estava forçando a situação e não conseguia enganar Pepper. Lembre-se, a energia não mente. Ele ainda não estava comprometido com o difícil trabalho de ser líder de Pepper no estúdio e continuar sendo um fotógrafo em período integral. Parecia demais para ele fazer as duas coisas ao mesmo tempo. Chris queria continuar com Pepper, e mostrei a ele que reverter essa situação era sua responsabilidade.

Quando vi que ele finalmente foi firme ao dar uma ordem a Pepper, percebi que não usou uma palavra sequer. Fez o que eu faço. Só emitiu um som: *shhh*. Não foi o tipo específico de som o mais importante – na verdade, uso esse som porque era esse que minha mãe usava para manter meus irmãos e eu na linha! O que importava era a energia por trás do som. O segredo, conforme eu disse a Chris, era corrigir Pepper *antes* que a mente dela a deixasse ansiosa, em um estado agressivo. Assim, ela teria de ser corrigida – com o *shhh* – o tempo todo, até que fosse condicionada a permanecer calma e submissa durante o tempo que passasse com Chris no estúdio.

O caso de Pepper é um bom exemplo para ilustrar o que acontece quando usamos liderança parcial com nossos cães. Com animais de baixa energia, as conseqüências podem não ser tão sérias, mas, no caso de Chris e Pepper, os riscos eram grandes. Ele corria o risco de ser processado, perder clientes e ter de fechar seu negócio se não conseguisse controlar a cadelinha; ela, por sua vez, corria o risco de perder seu lar, seu dono e até a vida (se Chris não conseguisse encontrar outro lar para ela). Felizmente, quando compreendeu a gravidade do problema, ele levou sua responsabilidade a sério e resolveu a crise. Não há necessidade de um cão como Pepper ter uma vida tão desequilibrada. Todos os elementos de que precisava para ser feliz e estável estavam dentro dela. Entretanto, ela precisava de Chris como líder de matilha para ajudá-la a trazê-los à tona.

A liderança é um trabalho em período integral

Os cães precisam de liderança desde o dia em que nascem até o dia em que morrem. Instintivamente precisam saber qual é a posição que ocupam em relação a nós. Geralmente os donos de cães têm um lugar para os animais no coração, mas não na "matilha". É aí que os cães assumem o controle. Eles tiram vantagem de um ser humano que os ama, mas que não demonstra liderança. Os cães não raciocinam. Eles não pensam: "Puxa, que bom que essa pessoa me ama! Isso faz com que eu me sinta bem; nunca mais atacarei outro cão". Você não pode dizer a um cão o que diria a uma criança: "Se você não se comportar, não vai ao parquinho de cães amanhã". Um cão não consegue fazer essa conexão. Qualquer sinal de liderança deve ser dado a ele assim que o comportamento inadequado ocorre.

Na sua casa, qualquer pessoa pode ser um líder de matilha. Na verdade, é essencial que todos os seres humanos da casa sejam líderes para o cão – desde a criança até o idoso. Homem ou mulher, todos devem aderir ao programa. Conheço muitas famílias em que o cão obedece a uma pessoa, mas desobedece a todas as outras. Essa pode ser outra receita para o fracasso. Na minha família, eu sou o líder de matilha para os cães, mas minha esposa e meus filhos também o são. Andre e Calvin caminham entre a matilha no Centro de Psicologia Canina sem que nenhum cão estranhe. Os garotos aprenderam a liderar matilhas me observando, mas todas as crianças podem aprender a fazer isso.

A liderança da matilha nada tem a ver com tamanho, peso, gênero ou idade. Jada Pinkett Smith deve pesar cinqüenta quilos, no máximo, e consegue lidar com quatro rottweilers de uma só vez melhor que seu marido. Will Smith é muito bom lidando com os cães, que o respeitam, mas Jada realmente dedica o tempo e a energia necessários para ser uma líder forte de matilha. Ela já foi comigo para a praia e para as montanhas, aonde levo a matilha para passeios sem coleira.

Liderar um cão num passeio – como provado pelos cães que vivem com os sem-teto – é a melhor maneira de estabelecer liderança de matilha. É uma atividade que cria e fortalece os elos entre líder e seguidor. Entrarei em detalhes sobre dominar a caminhada mais adiante, mas, por mais simples que pareça, esse é um dos segredos para criar estabilidade na mente do cão.

Com cães que são treinados para trabalhos específicos, o líder de matilha nem sequer precisa estar na frente. Em trenós de huskies siberianos, apesar de o líder humano estar atrás da matilha, é ele quem comanda o grupo. Os cães que vivem com deficientes físicos - pessoas em cadeira de rodas, cegas ou com necessidades especiais - geralmente precisam tomar as rédeas da liderança física em algumas situações. Mas a pessoa que eles ajudam é a única no comando. É bonito observar um cão-guia com uma pessoa deficiente. Geralmente, os dois parecem ter algum tipo de relação sobrenatural - um sexto sentido. Eles estão em tamanha sintonia que o cão pode muitas vezes sentir o que a pessoa precisa antes de receber uma ordem. Esse é o tipo de vínculo existente entre os cães de uma matilha. A comunicação entre eles não envolve palavras e vem da segurança que têm dentro da estrutura da matilha.

Com a energia calma e assertiva apropriada, liderança de matilha e disciplina, você também pode ter esse tipo de ligação profunda com seu cão. Mas, para alcançar esse nível, é importante ter consciência das coisas que talvez você faça sem perceber e que podem contribuir para aumentar os problemas do seu cão.

5

QUESTÕES

Como estragamos nossos cães

Quase todos os cães nascem naturalmente equilibrados. Se viverem como vivem na natureza – em matilhas estáveis –, passarão seus dias em paz e realizados. Se o cão de uma matilha se tornar instável, ele será forçado a deixá-la ou será afastado por outros membros. Pode parecer cruel, mas é a maneira que a natureza encontra de garantir a sobrevivência da matilha e a perpetuação da espécie.

Quando os seres humanos adotam os cães e os levam para seu ambiente e seu lar, na maioria das vezes procuram fazer tudo pensando no bem-estar do animal. Tentamos dar ao cão o que acreditamos que ele precisa. O problema é que não pensamos no que os cães precisam, mas no que o ser humano precisa para viver. Ao humanizarmos o animal, nós o prejudicamos psicologicamente.

Quando humanizamos os cães, criamos o que chamo de "questões" – que são a mesma coisa que um psiquiatra chama de "questões" quando se refere aos problemas dos pacientes. "Questões" são adaptações negativas ao lidar com o mundo. Como seres humanos, nossas questões variam muito e podem ser tão simples quanto medo de aranha ou tão complexas quanto transtorno obsessivo-compulsivo ou fetiche por pés. Para os cães, as questões são muito mais simples. Mas, assim como as questões humanas, as caninas são causadas por um desequilíbrio.

Neste capítulo, vou abordar as questões caninas mais comuns que sou chamado para ajudar a corrigir. Espero que você aprenda não apenas a detectar essas questões, mas também, ainda mais importante, a evitar que elas aconteçam.

Agressão

A agressão é o principal motivo pelo qual meus serviços são contratados. Às vezes sou considerado a "última esperança" de um cachorro antes de ele ser doado ou até mesmo sacrificado. A agressão não é uma *questão*. É o *resultado* de uma questão.

A agressão não é algo natural em um cão. Até mesmo os lobos nas florestas raramente são agressivos com seus semelhantes ou com os seres humanos[1] – a menos que exista uma razão para essa atitude, como ameaças ou fome. A agressão surge quando as questões do cão não são resolvidas, quando a energia frustrada não é extravasada. Infelizmente, a agressão sempre aumenta se não for corrigida. O mais triste é que, geralmente, quando sou chamado para cuidar de um animal agressivo, vejo que ele poderia ter sido poupado desse problema com facilidade. Poderia ter recebido ajuda antes de se tornar tão agressivo. Os donos de cachorros às vezes só decidem procurar ajuda profissional quando o animal morde alguém e eles são processados. Dizem coisas do tipo: "Ela é muito dócil em casa, com meus filhos" ou "Ele só age assim quando alguém toca a campainha". Gostaria que todas as pessoas que têm cães levassem mais a sério os sinais de

[1] Kathy Dye, "Wolves: Violent? Yes. Threat? No", *Juneau Empire*, 2/11/2000, disponível em: <http://juneauempire.com/smart_search/>.

comportamento agressivo e procurassem ajuda profissional antes de seus vizinhos os processarem – ou, pior, antes de alguém se ferir.

Agressão dominante

Apesar de a agressão não ser um estado natural para os cães, a dominância é natural para alguns deles. Seu cão pode ser um animal naturalmente dominante e com alta energia. Isso quer dizer que ele pode ser agressivo ou perigoso? Não. Mas quer dizer que você, nessa situação, precisa desempenhar ainda mais o papel de líder de matilha confiável, calmo e assertivo. Estou dizendo que você tem de desempenhar essa função o tempo todo, porque é isso que liderança significa para os cães. Um líder é sempre líder. Por mais cansado que você esteja, por mais que queira ler sua revista ou assistir a um jogo na TV, ainda assim precisa exercer a mesma liderança com energia calma e assertiva.

Lembre que existem poucos cães naturalmente dominantes, líderes de matilha. Assim como no mundo dos humanos existem poucas Oprah Winfreys e poucos Bill Gates, há poucos líderes de matilha natos no mundo dos cães. Esses cães, se não tiverem desafios físicos e psicológicos suficientes, podem se tornar animais muito perigosos. Podem se tornar cães-problema. Se decidimos trazer os cachorros para nossa vida, temos a obrigação de oferecer o estímulo e os desafios de que eles precisam.

Ao contrário do que muitas pessoas acreditam, não existem "raças dominantes". Em uma ninhada, um dos cãezinhos se destaca como o mais dominante e cresce para liderar a matilha. Os outros são os seguidores. Da mesma ninhada. Da mesma raça. Existem raças *fortes* – pit bulls, rottweilers, pastores alemães, mastifes italianos –, mas depende do líder de matilha direcionar essa energia para válvulas de escape saudáveis. Se você tem um animal de raça forte, é melhor deixar bem claro que é o líder da matilha.

No mundo selvagem, o animal naturalmente mais dominante se torna o líder da matilha. Como eu disse anteriormente, os líderes nascem prontos, não são construídos. Mas e se alguma coisa acontece ao líder? O número dois assume o comando – em geral, a fêmea que acompanha o líder. Então um macho de fora da matilha pode desafiá-la pela liderança do grupo. Se ela perceber que ele não é forte o bastante para derrotá-la, ela o afugentará ou matará. Mas, se ele for mais forte, a matilha toda se renderá a ele logo de cara – sem brigas. A Mãe Natureza faz a "eleição" por eles – a energia do novo líder o elege automaticamente. E, quando essa hierarquia é determinada, nem o cão da segunda posição nem os outros ficam ressentidos. Eles não são "ambiciosos" como um ser humano pode ser – como um vice-presidente espera para se tornar presidente ou um executivo júnior espera para assumir o controle da empresa. Os cães são instintivamente programados para aceitar o mais forte como líder. Se outro cão for mais forte, eles concordarão em segui-lo. Seu cão não levará para o lado pessoal o fato de você estabelecer a liderança sobre ele. Se ele pudesse, provavelmente agradeceria.

Se você tem um animal dominante, precisa estabelecer sua liderança logo, com freqüência e convicção. Pense que seu cão entrou na sua vida por um motivo: para tornar você mais forte, confiante, calmo e assertivo. Quem não seria mais feliz se tivesse mais energia calma e assertiva na vida – no trabalho, na família ou mesmo no trânsito? É melhor que você crie seu cãozinho de modo que desde filhote ele o veja como líder, mas é possível se tornar o líder de um cachorro dominante em qualquer momento da vida dele. Tudo depende da energia que você projeta. Você pode ser cego, não ter um braço ou uma perna ou se locomover com uma cadeira de rodas – mas, se sua energia for maior que a de um rottweiler de 75 quilos, você o ganha. No ato. Não sou um homenzarrão, porém, no Centro de Psicologia Canina, lido com trinta ou quarenta cães de uma só vez. Geralmente, preciso apenas lançar um olhar a um animal para pôr fim a um comportamento inadequado. Não tem a ver com meu tamanho, e sim com minha intensidade.

Quando uma pessoa possui um cão de raça forte ou com mente dominante e tem o nível de energia menor que o do animal, precisa trabalhar o lado psicológico dela. Lembre-se, isto é natural: seu cão não quer ser seu semelhante. O mundo dele é formado por líderes e seguidores, e depende de você, o dono, escolher que papel desempenhar. Se não estiver disposto a fazer isso, ou simplesmente não conseguir, pode ser que seu cão não seja o mais adequado para você. Mais adiante falarei sobre agressão na zona de alerta, que é um assunto sério. Cães fortes na zona de alerta podem causar ferimentos graves e até mortes. Na maioria das vezes, são cães dominantes sobre os quais os donos não têm controle. Portanto, pense bem sobre o cão que está vivendo com você. Se não puder lidar com ele o tempo todo e em todas as situações, isso é ruim para você, para o cão e para a sociedade.

Vejamos o exemplo de uma cliente que deixou que um cão dominante saísse de controle a ponto de sua agressividade passar para a zona de alerta. Vamos chamá-la de Sue. Trabalhei com Sue por seis meses, tentando ensiná-la a lidar com seu cão, Tommy, uma mistura de setter irlandês com pastor alemão. Desde o princípio Sue fez tudo errado com Tommy, que era um cão naturalmente dominante. Começou quando ela deixou que ele pulasse nela. Essa situação avançou até chegar ao ponto de ela permitir que o cão montasse nela e ficar parada até que ele terminasse. Tommy estava fora de controle, era completamente defensor de seu território, extremamente protetor de Sue e claramente o dominante na casa. Era uma relação muito ruim. Ele já tinha mordido as crianças da vizinhança e atacado o homem que limpava a piscina, e o Centro de Controle de Zoonoses já fora chamado. Tentei ensinar a Sue como conduzir um passeio, como projetar energia calma e assertiva, mas ela simplesmente não conseguia. Ela estava lidando com suas próprias questões psicológicas e, por algum motivo, não conseguia obedecer a regras e ter disciplina. Por fim, eu lhe disse: "Fiz tudo que podia para ajudá-la. Mas, neste momento, a única coisa que manterá Tommy vivo será mandá-lo para outro dono".

Claro que isso foi muito doloroso para Sue, mas salvou a vida de Tommy. Ele está vivo e atualmente trabalha como farejador para a polícia, e também está participando de um filme da DreamWorks. Finalmente encontrou válvulas de escape para extravasar sua energia intensa e dominante. E ele não tem problemas em seguir ordens. Foi uma situação simples de o cão errado com o dono errado, mas uma parceria ruim pode trazer problemas perigosos.

Os seres humanos conseguem aumentar a agressão dominante de várias maneiras. A primeira delas é permitir, desde o início, a dominância. Lembre que, se você não tiver poder de decisão sobre as coisas que faz com o seu cão e por ele, então ele é o líder da matilha. Outra maneira é realizar "jogos de dominância" com o cão e permitir que ele vença. Mesmo que você dispute cabo-de-guerra com um filhote, se ele começar a vencer todas as vezes, perceberá que pode dominá-lo. Brincadeiras agressivas com cães, mesmo que sejam filhotes, podem originar problemas de agressão mais tarde. Se seu cão começar a se mostrar possessivo ou rosnar durante as brincadeiras, você pode estar criando um monstro.

Agressão por medo

Muitas agressões são causadas por medo, principalmente em cães pequenos com complexo de Napoleão.* Quando trabalhei no *pet shop* em San Diego, logo percebi que os cães mais intratáveis eram os menores. Em geral, a agressão por medo começa com rosnados ou com o mostrar dos dentes. Se seu cachorro demonstra esses sinais quando você tenta levá-lo ao *pet shop* ou quando tenta tirá-lo de debaixo da mesa, está na hora de procurar ajuda! Assim como todas as outras formas de agressão, a agressão por medo sempre aumenta. O cão percebe que consegue manter as pessoas afastadas se lhes mostrar os dentes, e logo passa a mordê-las. A boa notícia é que, geralmente, os cães que mordem quando estão com medo não machucam. Apenas atacam e se retraem. O objetivo deles é que você – ou quem os ameace – saia de perto e os deixe em paz. Mas qualquer agressão pode se tornar algo pior. Seu cão não é engraçadinho quando rosna ou ataca. Isso não é "parte da personalidade dele". Ele está desequilibrado e precisa de ajuda.

A agressão por medo pode ser causada por abuso. Se um cão foi machucado e descobre que pode pôr fim ao problema atacando, é claro que é o que vai fazer. No entanto, a maioria dos casos de agressão por medo que sou chamado para resolver não envolve violência por parte do dono, mas, ao contrário, *amor* dado na hora errada. Sophie, de Oprah, é um exemplo claro. Quando ela atacava outros cães, Oprah a segurava e confortava, reforçando o comportamento.

---

*Segundo algumas teorias, o complexo de Napoleão, também conhecido como síndrome dos baixinhos, levaria homens (e cachorros) de baixa estatura a serem mais agressivos. (N. do E.)

Tenho um cachorro em meu Centro, uma fêmea mestiça de pit bull chamada Pinky, que é um caso extremo de agressão por medo. Quando alguém se aproxima, ela mostra os dentes, coloca o rabo entre as pernas, se abaixa e começa a tremer. *Tremer* mesmo. Suas patas chacoalham tanto que ela não consegue ficar em pé. Ela fica paralisada de medo. Seu dono tinha pena dela. Tinha tanta pena que sempre a acariciava, demonstrando afeto, tornando seu comportamento o mais instável possível. Quando encontramos um caso extremo como o de Pinky, percebemos como a agressão por medo pode ser debilitante para um cão.

Dê afeto – mas no momento certo!

Este é um bom momento para parar e lembrar – mais uma vez – uma das maneiras mais comuns de estragar nossos cães e criar-lhes problemas. Damos afeto, mas no momento errado. Damos carinho quando a mente do animal está no momento mais instável. Geralmente esse conselho é o mais difícil de ser aceito por meus clientes. "Não dar carinho? Isso não é natural!" Por favor, não me leve a mal. O amor é uma coisa linda e um dos maiores presentes que podemos dar aos nossos cães. Mas não é a coisa mais importante de que eles necessitam – principalmente se tiverem questões a ser corrigidas. Se você for desequilibrado, não poderá viver o amor verdadeiramente, não será capaz de senti-lo. O amor não ajuda um cão instável. Os cães agressivos não são curados porque seus donos os amam, assim como um marido agressivo não será curado se sua esposa, sua vítima, o amar mais. Os pais do programa de TV *Supernanny*, obviamente, amam seus filhos! Mas só estão dando amor. Não dão exercícios aos filhos. Não lhes dão estímulos psicológicos. Não existem regras. Essas crianças estão se divertindo? Não. É por isso que os pais chamam a babá. Os cães instáveis também não estão se divertindo, por mais amados que sejam por seus donos. É por isso que os donos me chamam.

O amor não deve aumentar a instabilidade. O amor deve recompensar a estabilidade, nos levar a um nível mais alto de comunicação. Assim como no mundo dos humanos, no mundo dos cães o amor só importa se for conquistado. Eu nunca diria às pessoas que deixassem de amar seus cãezinhos, que os amassem "menos" ou que passassem a medir o amor dado a eles. Dê ao seu cão o máximo de amor que sentir. Dê o máximo de amor que seu coração conseguir e mais um pouco. Mas, por favor, ame-o no momento certo. Dê afeto para ajudar o animal, não apenas para satisfazer suas próprias necessidades. Dar amor no momento certo, e apenas no momento certo, é uma maneira de verdadeiramente *provar* o amor que você sente por seu cão. Os gestos falam mais alto que as palavras.

A agressão por medo não surge do nada. Ela é cuidadosamente cultivada, como um jardim, por donos bem-intencionados, mas de maneira não-intencional. Outro exemplo de cão que se mostra agressivo por medo é Josh, a quem os redatores do meu programa de TV apelidaram de "Gremlin Enfeitado", pelo fato de seus pêlos cobrirem os olhos. Josh era um cão de abrigo que ninguém queria adotar. Ele mostrava os dentes a qualquer pessoa que passasse perto de sua jaula. Todos que iam ao abrigo sentiam pena de Josh – todos. "Sentir pena" de um animal num abrigo é uma reação comum a quase todo mundo. A piedade é humana. Mas, quando cinqüenta pessoas vão ao abrigo e todas elas enviam ao cão a débil e indulgente energia do tipo "coitadinho", essa energia acaba se tornando quem ele é. Ela passa a defini-lo.

Ronette, uma enfermeira, sentiu pena de Josh e o adotou. Depois, continuou sentindo pena dele todos os dias. Quando ele rosnava no momento em que a filha dela se aproximava de sua tigela de ração, Ronette o confortava, como se a garota fosse inimiga dele. Quando ele passou a ser recusado pelo *pet shop* onde era cuidado, por atacar os funcionários, ela passou a gastar horas para embelezar o companheiro rabugento, que não permitia que os pêlos perto de seus olhos fossem aparados.

Acredite ou não, poucos cães me morderam ao longo da minha carreira. Mas Josh foi um deles! Ele me mordeu enquanto eu o tosava – e continuei como se nada tivesse acontecido. Ele tinha de aprender que um ser humano não se retrairia, por mais agressivo que ele se tornasse. Por ser um cão pequeno, ele rosnava mais que atacava e atacava mais que mordia. Ele se rendeu, e hoje pode ir ao tosador sem problemas.

Uso Pinky e Josh como exemplos porque quero deixar claro que não estamos fazendo um favor ao cão quando sentimos pena dele. Na verdade, esse sentimento diminui as chances de ele se tornar equilibrado no futuro. Imagine que alguém sentisse pena de você o tempo todo. Como você se sentiria em relação a si mesmo? Os cães precisam mais de liderança que de amor. Deixe que o amor recompense o equilíbrio. É assim que o equilíbrio é mantido.

Como lidar com a agressão por medo? Não se dê por vencido. Você tem duas opções: espere que o cão vá até você, ou vá até ele. Se decidir ir pegá-lo, você tem de ir até o fim. Não pode deixá-lo vencer. Precisa se manter calmo e assertivo, e não pode ficar bravo. Lembre-se a todo momento de que está fazendo isso pelo bem do animal. A paciência é o segredo. Espere. O homem é o único animal que parece não entender a paciência. Os lobos esperam pela presa. Os crocodilos esperam. Os tigres esperam. Mas hoje em dia as pessoas estão acostumadas com *drive-thrus*, Sedex e Internet de banda larga. Não é possível apressar a reabilitação de um cão que é agressivo por medo. Talvez você tenha de pegar o animal cinqüenta ou cem vezes antes de conseguir fazer com que ele mude. Tenho alguns cães no Centro com os quais sei que precisarei de muita paciência até fazê-los perceber que apenas a submissão calma será recompensada.

No caso de Pinky, a pit bull agressiva por medo, assim que coloco nela minha coleira barata, ela relaxa. Essa é a natureza de um seguidor – ele quer que o líder diga o que tem de fazer. Se eu caminho com ela apenas alguns metros, ela começa a demonstrar todos os sinais físicos de submissão calma. Ela relaxa e se acalma. Se eu esperar muito tempo antes de dizer o que desejo que faça, a linguagem corporal volta a mudar – ela enfia o rabo entre as patas e começa a tremer. Nenhum carinho vai ajudá-la – no caso dela, o carinho contribuiu muito para piorar o problema. Quando dou carinho a Pinky? Quando vejo que ela está relaxada, caminhando ao meu lado com a coleira. Continuarei fazendo isso até reabilitá-la por completo.

Os cães podem se tornar agressivos por medo, dominância, possessividade, territorialidade e vários outros motivos – e o grau de agressividade varia. No próximo capítulo, falaremos sobre o que chamo de "zona de alerta". Os casos na zona de alerta – em que há agressão crônica e extrema – devem sempre ser encaminhados a um profissional. Nunca tente lidar com um cão desse tipo sozinho. Mas você precisa estabelecer seu nível de conforto. Se seu cão for pouco agressivo, como Josh, mas você não se sentir seguro para enfrentar a situação, por favor, procure manter sua segurança. Chame um treinador de cachorros profissional ou um especialista em comportamento canino, pelo seu bem e pelo bem do cão.

Energia hiperativa

Seu cão pula em você quando você chega em casa? Na sua opinião, ele faz isso somente por estar feliz em vê-lo e por ser "espirituoso"? Você analisa esse comportamento como "personalidade"? Não se trata de espirituosidade nem de personalidade. A energia hiperativa – entusiasmo em excesso – não é natural para um cão. Não é saudável.

Em seu estado natural, os cães ficam animados e brincam uns com os outros, mas o entusiasmo tem hora e lugar. Depois de uma caçada ou de uma refeição, eles fazem uma espécie de comemoração, que interpretamos como afeição. Eles podem brincar de modo mais agressivo uns com os outros, tornando-se submissos e entusiasmados ou entusiasmados e dominantes. Mas não adotam esse comportamento por muito tempo e não o fazem com aquele som ofegante de hiperatividade comum aos cães domésticos. Esse entusiasmo é de um tipo diferente, um entusiasmo maluco. Alguns cães parecem estar nesse estado o tempo todo. E isso não é bom para eles.

Já percebi que meus clientes geralmente interpretam as palavras *felicidade* e *entusiasmo* como a mesma coisa: "Ele está feliz em me ver!" Elas não significam a mesma coisa. Um cão feliz é alerta: as orelhas e a cabeça ficam em pé e ele abana o rabo. Um cão extremamente entusiasmado pula, é ofegante e não consegue parar de se mexer. Isso é energia acumulada. Cães cheios de energia e hiperativos geralmente são os mais difíceis de reabilitar. A energia hiperativa causa outros problemas também, como fixações e obsessões.

Os cães de muitos de meus clientes recebem bastante carinho dos donos quando pulam neles assim que eles chegam em casa. Em primeiro lugar, se seu cão pula em você, está demonstrando dominância. Não permita tal atitude. Os cães são naturalmente curiosos e obviamente ficarão interessados quando alguém entrar pela porta de casa. Mas precisam de modos para receber os convidados. Os cães não cumprimentam uns aos outros com pulos, e sim com cheiradas. Se esse comportamento acontece no mundo dos cães, pode acontecer também na sua casa.

Mantenha seu cão preso se você receber visitas enquanto ainda estiver ensinando-o a recebê-las civilizadamente. Quando perceber que está fazendo progresso, peça que seus convidados o ajudem. Diga a eles que não devem reagir aos pulos do cão - que não digam nada, não o toquem, não olhem para ele –, até que ele se acalme. Quando um cão é ignorado, geralmente fica calmo em questão de segundos.

Os cães hiperativos necessitam de exercícios, muitos exercícios, mais do que de carinho. Quando você chegar em casa, leve seu cão para uma longa caminhada. Em seguida, alimente-o. Assim você terá oferecido desafios físicos e psicológicos e, então, a recompensa com comida. Depois, quando ele estiver calmo, faça-lhe carinho. Não incentive os pulos, mesmo que os julgue divertidos e que eles o façam se sentir amado. Sinto muito, mas toda essa bagunça não significa que seu cão está "feliz em vê-lo". Significa que ele tem muita energia acumulada e precisa extravasá-la de alguma forma.

Ansiedade e momentos de separação

A ansiedade pode aumentar a energia hiperativa. Não encontramos muita ansiedade na natureza. Medo, sim; ansiedade, não. Somente quando levamos os animais para casa ou quando os prendemos em jaulas é que os deixamos ansiosos. A ansiedade pode causar aquele tipo de reação em momentos de separação, com choramingos, lamúrias e uivos, que Sophie, a cadela de Oprah, demonstrava toda vez que a dona saía. É normal que o cão tema se separar de você. É natural, instintivo, que ele se sinta triste ou se preocupe com a separação da matilha, mesmo que ela seja formada apenas por você e ele. E não é natural para um cão ficar preso o dia todo em casa ou no apartamento, sem nada para fazer. Ele não pode ler um livro nem fazer palavras cruzadas – nem assistir ao meu programa na TV. A energia dele não tem para onde ir quando você se ausenta. Não é à toa que muitos cães sentem ansiedade pela separação – e terminam com energia acumulada, extravasando-a quando os donos chegam em casa.

Aliás, quando você volta para casa e descobre que seu cão comeu seu par de chinelos favorito, saiba que isso não aconteceu por ele estar "bravo" porque você o deixou sozinho e por "saber" que você adorava esses chinelos. Lá vem você humanizando seu cão de novo! Ele comeu seus chinelos por ter muita energia acumulada. Primeiramente, ele os cheirou e sentiu um cheiro familiar – o seu cheiro. Ao sentir o cheiro e reagir à lembrança, ele ficou agitado. Por não ter meios de extravasar toda essa energia e ansiedade, ele atacou os pobres chinelos.

Percebo que os donos de cães nem sempre reconhecem os sintomas de ansiedade em seus animais. Eles acreditam que a ansiedade pela separação se inicia quando saem de casa – mas, na verdade, se inicia quando a energia não extravasada começa a se acumular, desde o momento em que o cachorro acorda. O dono acorda, escova os dentes, prepara e toma o café-da-manhã; enquanto isso o cão vai atrás dele, de um lado a outro, seguindo-o sem parar. O dono pensa: "Puxa, ele adora estar comigo; quer cuidar de mim o tempo todo". Isso não passa de ilusão que o ser humano cria em sua mente para se sentir bem. Esse cão não está mostrando seu amor, mas sua ansiedade. Se você sair de casa sem lhe dar uma maneira de extravasar essa energia, é claro que ele terá problemas relacionados à ansiedade pela separação.

Digo a meus clientes que levem seus cães para uma longa caminhada, para uma corrida ou mesmo para um passeio de patins logo pela manhã; isso faz bem para a saúde dos seres humanos também. Se não puder fazer isso, permita que o cão use a esteira enquanto você toma café ou se arruma. Deixe-o cansado. Depois, alimente-o. Quando você sair de casa, ele estará cansado, de barriga cheia e precisando de descanso. A mente dele estará calma e submissa, e fará muito mais sentido para ele ficar quieto pelo resto do dia. Também diminuirão as chances de ter um cão hiperativo recebendo-o na porta, quando você chegar. Outro conselho que posso dar é o de não fazer alarde quando chegar ou sair de casa. Se você deixar transparecer agitação sempre que chegar e sair, isso apenas alimentará a mente de um cão ansioso.

Obsessões e fixações

Outro resultado possível para a energia não extravasada de um cão é ele se tornar obcecado por algo. Pode ser qualquer coisa, desde uma bola de tênis até um gato, mas isso não é natural nem bom para o seu cão.

Uma fixação é energia desperdiçada. O cachorro precisa canalizar sua energia para algo para conseguir ser equilibrado, calmo e submisso. Um cão que vive com um sem-teto caminha o dia todo e gasta energia dessa forma. Um cão que vive com uma pessoa com algum tipo de deficiência tem o desafio físico e psicológico de manter o dono em segurança, e essa é outra maneira de extravasar a energia. Os donos que regularmente caminham ou correm com seus cães os ajudam a gastar energia.

Muitos donos acham que, se abrirem a porta dos fundos de casa, seu cão ficará satisfeito com uma perseguição a um esquilo no quintal – um esquilo que, em 99% dos casos, ele nunca conseguirá pegar. Então o cachorro passa o dia todo olhando para o esquilo numa árvore, tornando-se obcecado pelo animalzinho, que não lhe dá a mínima. (Você já viu um esquilo ansioso?) O cachorro fica maluco. Toda a sua energia se concentra no esquilo. Essa é uma das maneiras de criar uma fixação.

Outra maneira é permitir que o cão simplesmente fique sentado observando um gato, um pássaro ou outro animal qualquer na casa. Como o cão não rosna, não late nem ataca, o dono acha que está tudo bem. Mas ter uma fixação não é normal para um cão. Os olhos dele ficam parados, as pupilas dilatadas e às vezes ele pode babar. A linguagem corporal é tensa, e, se o dono lhe der uma ordem, não será obedecido. Suas orelhas nem sequer se mexem ao ouvir a voz da pessoa. Quando o dono leva o cão ao parque e este corre sem parar, de um lado para outro, perseguindo cachorros de menor porte de modo compulsivo, ele não está brincando. Não se trata de um jogo. É uma obsessão. Mesmo que o cão não ataque, a obsessão é grave, pois pode evoluir e fazer o animal entrar na zona de alerta.

Outro tipo de obsessão acontece quando um cão se fixa em um brinquedo ou uma atividade. Você conhece algum cão que fica maluco com uma bola de tênis, pedindo que você a jogue mil vezes sem parar? Muitos donos acreditam que podem substituir os passeios com os cães por brincadeiras de pegar. Isso não funciona. É exercício, mas não é o tipo de atividade que o passeio com o líder de matilha oferece. Gosto de comparar isso com levar as crianças a um parque de diversões, em vez de levá-las à aula de piano. No parque elas vão brincar muito. É agitação. As aulas de piano serão um desafio psicológico. É submissão calma. Brincar de pegar é agitação; fazer uma caminhada é submissão calma. Se o dono dispensar o passeio e só brincar com o cão, este vai se acostumar a ver aquele momento de brincadeiras como a única oportunidade de gastar energia. O cão vai exercer aquela atividade enquanto sua mente está ansiosa e agitada. Ele vai brincar até cair de cansaço, o que ocorrerá muito tempo depois que o dono se cansar. Nesse momento ele ficará agitado como nunca. Quando os lobos e outros animais ferozes caçam, eles são muito organizados. São calmos. Não ficam obcecados pelo que estão caçando. Concentrados, sim; obcecados, não. Um é um estado natural. O outro, não.

O problema é que os donos de cachorro costumam ver a obsessão como algo "bonitinho" ou "engraçadinho". Ou descrevem esse comportamento como amor. "Ela *ama* esse brinquedo!" "Ele *adora* brincar com essa bola!" Não é um tipo saudável de amor. Uma obsessão é como um vício para um ser humano, e pode ser perigosa. Pense num homem viciado em jogos de azar sentado num cassino em Las Vegas, jogando a noite toda. Isso é fixação. Fumar, beber, qualquer hábito que você não consegue controlar e pratica em excesso é uma fixação. Você perde o controle. Nesse caso, a bola controla o cão. Ou o gato controla o cão. Ou o esquilo. Alguns cães podem ficar tão fixados em um objeto que são capazes de morder uma pessoa ou outro cão que tente tirá-lo de perto deles. Se você não prestar atenção, poderá entrar na zona de alerta.

No Centro de Psicologia Canina, se o objetivo é brincar com a bola, procuro ver se todos estão quietos antes de começar. Se vou servir o jantar aos cães, todos têm de estar quietos. Se vou lhes fazer carinho, todos precisam estar quietos. Nunca dou nada aos cães se sua mente não estiver calma e submissa. É assim que faço um cachorro com fixação voltar ao normal, porque ele percebe que não conseguirá nada se continuar obcecado. E é assim que consigo fazer com que cinqüenta cães brinquem com uma só bola sem que nenhum deles se machuque. Também nunca brincamos ou comemos sem antes praticar um exercício vigoroso – caminhar, correr ou andar de patins. Extravasar a energia é fundamental.

Os cães com fixações nos cansam. Muitas pessoas tentam "conversar" racionalmente com seus animais quando eles se mostram fixados em um objeto, como um brinquedo ou uma bola de tênis. Mas essa conversa se transforma em ordens: "Não, largue isso. Largue. Largue. Largue. Largue". Isso só cria mais energia agitada e instável no cão. Nessa hora, a pessoa já está exausta e furiosa com o animal, porque ele não escuta o que está sendo dito. Então o dono toma a decisão de partir para cima dele e arrancar-lhe o objeto. Assim, projeta mais energia frustrada e instável, que somente aumenta a fixação do cão.

Corrigindo Jordan

O caso mais cansativo fisicamente que enfrentei na primeira temporada do meu programa foi o de Jordan, um buldogue que tinha inúmeras obsessões. Seu dono, Bill, queria um buldogue calmo, preguiçoso e de baixa energia. Jordan parecia calmo quando Bill o escolheu entre os filhotes de uma ninhada, mas ele cresceu e se tornou um cão hiperativo, dominante e obcecado. Ele ficava obcecado por *skates*, bolas de basquete, mangueiras de jardim – qualquer objeto que visse. Pegava o objeto com a boca e não o largava por nada. Bill e sua família faziam a pior coisa que se pode fazer com um animal que tem na boca um objeto pelo qual está obcecado: brincavam de cabo-de-guerra com Jordan. Ao tentar tirar a bola ou o *skate* do animal, ativavam seu instinto de caça, deixando-o ainda mais maluco. A energia de Bill também não ajudava muito. A paciência é uma virtude quando precisamos lidar com uma mente obcecada, assim como a energia calma e assertiva. Bill parecia um cara tranqüilo e despreocupado, mas, na verdade, era tenso e frustrava-se com facilidade. Você se lembra de quando eu disse que a energia não mente? Bill não conseguia enganar Jordan. Sua energia agressiva e frustrada se refletia nas obsessões do animal.

Na reabilitação de cães, geralmente tenho mais facilidade em corrigir um estado de espírito agressivo e dominante que um obsessivo e hiperativo. Jordan não foi exceção. Comecei com o *skate*. Como os buldogues geralmente se cansam logo, pensei que não seria muito difícil esgotar a energia de Jordan. Ele me provou o contrário. Aquele buldogue era muito determinado. Com cada um dos objetos, em vez de tirá-los dele, eu o desafiei a afastar-se, dizendo que eram meus. Sempre que ele se aproximava, eu o corrigia com um puxão. Isso envia ao cérebro o sinal de que eu quero submissão. Eu ia para frente, em vez de me afastar dele. E mantive a mesma energia calma e assertiva até que Jordan finalmente entendeu, mas, por ter vivido tanto tempo com aquela obsessão, não foi fácil. Eu terminava as sessões pingando de suor.

Trabalhar com o dono de Jordan, Bill, era minha tarefa seguinte. Tinha de fazê-lo entender seu papel na história. Ele precisava se tornar mais paciente e ser mais calmo e assertivo. Acredito piamente – e é o que tenho percebido – que os animais entram em nossa vida por um motivo: para nos ensinar lições e fazer com que nos tornemos pessoas melhores. Jordan certamente estava corrigindo Bill de todas as formas. Talvez, se Bill tivesse encontrado um cão mais calmo e tranqüilo, ele não teria sido desafiado a mudar. Bill amava Jordan e estava disposto a se tornar uma pessoa mais equilibrada, para que Jordan fosse um buldogue mais equilibrado também.

Um cão obcecado precisa de uma válvula de escape para extravasar a energia acumulada, o que começa com a caminhada. Também precisa de um dono que esteja presente para "tirá-lo do transe", quando começar a se fixar em algo. Não espere até que o cão fique obcecado. Você será capaz de reconhecer esse estado quando o vir. A linguagem corporal do cão muda, e ele fica tenso. Suas pupilas se dilatam. Quando isso acontece, ele precisa ser levado de volta ao estado calmo e relaxado imediatamente, com uma correção apropriada. Aconselhei Bill a caminhar com Jordan para cansá-lo e, em seguida, colocar o objeto diante dele e cuidar para que não o pegue. Se o problema do cão já vem acontecendo há muito tempo, é preciso reforçar essa atitude muitas vezes – talvez durante meses, se a obsessão for muito grave. É como eles dizem nos Alcoólicos Anônimos: um dia de cada vez. Se há muito tempo você vem mantendo hábitos ruins – beber, fumar, comer demais –, precisa ser firme ao substituir essas coisas por atividades positivas. Reabilitar um cão obcecado talvez pareça muito difícil, e pode ser. Mas temos a obrigação, para com nossos cães, de nos esforçar para que eles se tornem equilibrados.

Fobias

Você se lembra de Kane, o dogue alemão que tinha medo de pisos escorregadios? Seu caso é um exemplo clássico de fobia. Um cão pode desenvolver fobia a qualquer coisa, como um determinado par de botas, outro animal ou um gênero de pessoas! As fobias são simplesmente medos que o cão não consegue superar. Se a mente do cão não consegue se desvencilhar de uma situação que lhe causou medo, esse medo pode se tornar uma fobia. Na natureza, os animais aprendem com o medo. O lobo aprende a evitar armadilhas. O gato aprende que não deve brincar com cobras. Mas eles não fazem muito estardalhaço com coisas que os assustam. Não perdem o sono por causa delas. Sentem a emoção, aprendem com ela e depois seguem a vida normalmente. Somos nós, seres humanos, que criamos a fobia neles, pela maneira como reagimos aos medos que sentem. Nós os mantemos presos. Marina, a dona de Kane, fez um grande estardalhaço quando ele escorregou no piso pela primeira vez. Depois, ela cometeu o erro de confortá-lo sempre que ele se aproximava do objeto de sua fobia.

Mesmo quando não conhecemos o motivo da fobia do cão, adivinhe o que causará ou aumentará qualquer fobia que exista? Acertou! Mais uma vez, a resposta é: dar carinho no momento errado. Quando uma criança sente medo e lhe damos carinho e amor, trata-se de psicologia humana. Quando um cão sente medo e o confortamos, dando-lhe carinho e amor, também se trata de psicologia humana – e não de psicologia canina. Um cão não demonstraria carinho a outro cão que estivesse com medo! A reação correta diante da fobia de um cão é mostrar liderança. Antes de mais nada, esgote a energia dele – como a fobia é um tipo de obsessão, os mesmos princípios são aplicados. Quando o cão está cansado e relaxado, tem muito menos probabilidade de sentir a fobia – e se torna muito mais obediente a um líder forte de matilha que o ajude a superar seus medos.

Baixa auto-estima

A auto-estima não é uma "questão", mas desempenha um papel importante em muitos dos problemas de cães que conheço. Quando me refiro à auto-estima do cão, não estou falando do que ele pensa sobre sua aparência ou se é popular ou não. A auto-estima do cão, para mim, tem a ver com energia, dominância e submissão. Os cães com baixa auto-estima são submissos, têm pouca energia, têm a mente fraca e sofrem de medos, pânico ou fobias. Geralmente demonstram ansiedade. Podem adotar um comportamento agressivo por causa do medo (como Josh e Pinky), ou podem ser completamente tímidos.

Os cães com baixa auto-estima também podem desenvolver obsessões, mas de modo diferente de um cão dominante e cheio de energia. Vamos analisar o caso de Brooks, um entlebucher.

Quando ele era filhote, era muito tímido. Após ser mordido pelo cachorro de um vizinho, ficou ainda mais medroso. Sempre fugia e se retraía quando alguém se aproximava. Por ter baixa auto-estima, temia que todas as pessoas quisessem pegá-lo e tinha medo. Até que, um dia, alguém teve a idéia de brincar de pega-pega com ele usando um apontador a *laser* – uma daquelas canetas com *laser* na ponta que, direcionada para algum lugar, emite um feixe de luz. Brooks passou a adorar essa brincadeira, pois se viu com a possibilidade de perseguir algo. Finalmente alguma coisa estava fugindo dele! Sentiu-se um pouco dominante sobre alguma coisa e bem consigo mesmo, e toda a energia que ele estocara com sua insegurança podia ser extravasada enquanto ele corria atrás da luz. Daquele momento em diante, Brooks ficou obcecado pela luz. Passou a se distrair constantemente com raios de sol, reflexos, feixes de luz e sombras no chão. Seus donos, Lorain e Chuck, não conseguiam levá-lo para passear sem que ele começasse a perseguir qualquer reflexo que visse. Na mente de Brooks, a luz se tornou a única maneira de extravasar energia acumulada. Para aquele cão inseguro, a luz era algo que ele podia tentar controlar. Ela nunca corria atrás dele, sempre se distanciava. Era uma obsessão criada pela falta de exercícios e pela baixa auto-estima de Brooks.

Diferentemente de Jordan, um cão dominante e com nível alto de energia, Brooks era um animal de mente fraca e submisso. Por isso, livrá-lo de sua obsessão demorou menos de cinco minutos! Só tive de dar alguns puxões em sua coleira para que ele entendesse. É claro que seus donos teriam de continuar a corrigi-lo – constantemente – quando ele se fixasse em algo, mas logo sua obsessão se tornou coisa do passado.

Existem cães, como Pinky, cuja auto-estima está no fundo do poço. Eles ficam presos em sua insegurança. Em vez de brigar ou fugir, ficam paralisados. Eles se escondem, ficam imóveis, tremem – simplesmente não conseguem ir adiante e fazer o que precisa ser feito. Não conseguem se recuperar sozinhos – precisam da ajuda de um ser humano.

Cães com pouca auto-estima procuram desesperadamente por um líder de matilha! Eles *querem* que lhes digam o que fazer – às vezes é só assim que conseguem relaxar, como no caso de Pinky. Tais cães reagem bem a regras, limites e restrições. O "poder da matilha" os ajuda a ficar bem rapidamente – estar perto de seus semelhantes é um santo remédio para um cão com baixa auto-estima –, mas o tempo que passam na matilha deve ser supervisionado a princípio, devido ao instinto natural dos cães de atacar os mais fracos. Pouco a pouco esses cães ficam melhores, mas precisam de orientação firme de seu líder de matilha humano.

Tenho mais uma coisa a dizer sobre auto-estima. A auto-estima de um cão doméstico também não deve ser alta demais. Na natureza, apenas o líder da matilha consegue andar por todos os lados com o rabo em pé e o peito estufado, projetando energia dominante sobre os outros. Se você for o líder de matilha para seu cão, só você deve agir assim na sua casa! Quando entro em uma casa em que todas as pessoas andam na ponta dos pés perto do cão, onde ele é o chefe e todos lhe obedecem, sei que esse cão deveria ser um pouco menos orgulhoso. Tornar-se líder de um cão dominante requer fazer com que ele se renda. Isso não quer dizer, de modo algum, adotar a violência física como recurso. E lembre-se de que ele não ficará ressentido por você assumir a liderança. Pode ser que resista um pouco a princípio – para ver se consegue se safar dessa –, mas não ficará ofendido por você provar que sua energia é maior que a dele.

Prevenção

Todas as "questões" que abordei aqui podem ser evitadas se você lembrar que deve tratar seu cão como um cão, e não como um ser humano – e se adotar como prioridade trabalhar para completar a vida do seu animal assim como ele completa a sua. No capítulo 7, falarei sobre meu método simples para criar um cão feliz e equilibrado. Mas, antes disso, vou abordar os casos mais sérios que sou chamado para resolver: casos de agressão na "zona de alerta".

6

CÃES NA ZONA DE ALERTA

Agressão perigosa

Imagine a seguinte situação: você chega ao seu apartamento, num prédio de classe alta, após fazer algumas compras. O elevador pára no seu andar e a porta se abre. A primeira – e a última – coisa que você vê são dois cães da raça dogue canário, de 55 quilos cada, rosnando e escapando da coleira da sua vizinha, e então correndo na sua direção.

Foi assim que a vida terminou para Diane Whipple, uma técnica de lacrosse de 33 anos de São Francisco, em janeiro de 2001. Os donos dos animais foram condenados por homicídio culposo e ficaram quatro anos presos. Essa talvez tenha sido a morte por ataque de cães mais conhecida nos Estados Unidos, mas não foi a única. Em média dezoito pessoas morrem por ano no país por ataques de cães.[1] Mais de 165 milhões de dólares são gastos para tratar ferimentos causados por cerca de um milhão de graves mordidas de cães por ano.[2] As mordidas de cães causam apro-

[1] J. J. Sacks et al., "Fatal Dog Attacks, 1989-1994", *Pediatrics*, 97, nº 6, 1º/6/1996, pp. 891-95.

[2] D. Pimental, L. Lach, R. Zuniga e D. Morrison, "Environmental and Economic Costs Associated with Non-Indigenous Species in the United States", Cornell University, College of Agriculture and Life Sciences, Ithaca, 1999, disponível em: <http://www.news.cornell.edu/releases/Jan99/species_costs.html>.

ximadamente 44 mil ferimentos faciais registrados nos hospitais norte-americanos no período de um ano.[3] E, tragicamente, 60% das vítimas desses ferimentos faciais são crianças.[4] A maioria dos cães responsáveis por essas mordidas termina como estatística – apenas parte dos 2,7 milhões de animais sacrificados em abrigos todos os anos.[5]

Lembre-se, esses animais não "premeditaram" seus ataques. Não são "assassinos natos" nem se tornaram, de repente, máquinas de matar. Diferentemente de um assassino humano condenado à morte, esses cães não têm noção de certo ou errado quando tiram uma vida – seja de um animal, seja de uma pessoa. Como eu já disse, não existe moralidade no mundo animal; só existe sobrevivência. Se os cães apelam para a violência, é porque agem motivados por seus instintos de luta ou de fuga. A agressão perigosa não é a causa, é o resultado de graves problemas de comportamento de um cão. E, geralmente, o comportamento agressivo de um cão violento é deliberadamente aumentado – ou mesmo nutrido – pelos seres humanos que deveriam cuidar dele.

No mundo selvagem, os cães são predadores naturais. Também são bastante valentes ao defender seu território fisicamente. Mas a agressão contra seres humanos – ou contra outros animais – não deve ser permitida em hipótese alguma entre os cães domésticos que vivem conosco. Nunca. Se somos os líderes de matilha de nossos cães, a primeira regra da matilha deve ser: "Nada de agressão violenta!"

Construí minha reputação como especialista em comportamento canino reabilitando algumas das raças mais temíveis que existem – pit bulls, rottweilers, boxers e pastores alemães. Amo

---

[3] T. A. Karlson, "The Incidence of Facial Injuries from Dog Bites", *JAMA*, 251, nº 24, jun. 1984, pp. 3265-67.

[4] Fonte: American Society of Plastic Surgeons.

[5] Fonte: American Humane Association.

essas raças, mas elas não são adequadas para todas as pessoas. Infelizmente, quando o dono não consegue domar seu animal de raça forte e de alta energia, ele mesmo sofre, além do cão e de pessoas inocentes e que nada têm a ver com eles.

Acredito que o que chamo de agressão na zona de alerta pode ser evitado em 90% das vezes. A maioria dos casos que sou chamado a resolver envolve algum tipo de comportamento agressivo. E, em mais de vinte anos trabalhando nessa área, só encontrei dois casos de cães em zona de alerta que acredito que não poderiam ser reabilitados para se tornar sociáveis e capazes de viver bem entre seres humanos. Com base na minha experiência, talvez 1% de todos os cães que chegaram até mim com problemas de agressão tinha algum desequilíbrio mental, ou foi tão prejudicado pelos seres humanos que não poderia retornar ao convívio em sociedade. A conclusão disso é que estamos sacrificando muitos animais que não merecem morrer. O único "crime" cometido por esses cães foi terem ido parar nas mãos dos donos errados.

Definindo a "zona de alerta"

Eu nunca tinha visto um cão na zona de alerta antes de chegar aos Estados Unidos. Já tinha visto cães com raiva e outros brigando entre si, mas, quando um deles estabelecia a dominância derrotando o outro, habitualmente a briga terminava. Na natureza, o comportamento desafiador em geral serve para cessar completamente a agressão. A menos que um animal seja fraco e precise ser morto pela matilha, é do interesse dela manter a agressão em um nível mínimo. Antes de chegar aos Estados Unidos, eu nunca tinha visto um cão continuar o comportamento agressivo – como atacar outro animal ou correr atrás de uma pessoa – depois de ter levado uma mordida de aviso. Mas a zona de alerta é algo completamente diferente. Estar na zona de alerta significa matar – outro animal ou uma pessoa. Não tem a ver com dominância ou território. A intenção do cão é atacar seu alvo até exauri-lo. Até não restar vida.

Um cão na zona de alerta não ouve seus comandos, mesmo que você o esteja segurando. Não importa se esse animal é seu companheiro da vida toda e dorme ao seu lado na cama. Quando a luz vermelha se acende, é como se você não existisse. O cão lutará contra você e prefere morrer a parar o ataque. Você pode bater nele ou gritar – ele não prestará atenção, pois está muito concentrado. A missão de matar é maior que qualquer dor que você possa lhe infligir; na verdade, bater em um cão na zona de alerta ou gritar com ele só aumentará o estado letal da mente dele. Ele é um cão com uma fixação – mas uma fixação fatal.

Um caso de zona de alerta nunca é algo que acontece da noite para o dia. Por isso, ele é evitável.

"Bombas-relógio"

"Nunca pensei que ele fosse fazer isso. Como eu poderia prever algo assim? Um acontecimento completamente bizarro? Como prever que um cão que você conhece, que é dócil, carinhoso e amoroso, pode fazer algo tão horrível, brutal e devastador?"[6]

Essas foram as palavras que Marjorie Knoller, dona dos cães que mataram Diane Whipple, usou para se defender no tribunal. Ironicamente, Knoller e seu parceiro, Robert Noel, pareciam ser os únicos em seu bairro em São Francisco que não "previram" que um acontecimento "bizarro" desses pudesse ser causado por seus cães, Bane e Hera. Esses cães já estavam na zona de aler-

---

[6] Jaxon Van Derbeken, "Dog Owner Defends Story: Knoller Says Her Memory of Attack 'fades in and out'", *San Francisco Chronicle*, 13/3/2002, p. A21.

ta quando os dois advogados os adotaram e, nas palavras de um veterinário que enviou uma carta de alerta a Knoller e Noel, eles eram "bombas-relógio prestes a explodir".

A história dessa morte absurda e evitável começou com um detento da penitenciária de Folsom que era representado pelos advogados Knoller e Noel e – não se sabe o motivo – foi adotado por eles como filho. Esse detento começou a tentar estabelecer um negócio ilegal de criação de dogues canários quando ainda estava preso. Raças fortes, como dogue canário, mastife italiano e pit bull, são exploradas devido à força extrema e às tendências de proteção territorial e, infelizmente, em geral passam a vida como "gladiadores", em rinhas ilegais, ou como guardas, em pontos de drogas, cativeiros e outras atividades criminosas.

No caso de São Francisco, uma mulher que tinha uma fazenda perto da penitenciária de Folsom cuidava dos dois cães, Barne e Hera, para o detento. Depois de eles atacarem e matarem algumas galinhas, um carneiro e um gato, a mulher decidiu que não queria mais ser responsável por eles. Como ela e os demais moradores da fazenda temiam os cães, estes passaram a ficar presos em um local ermo da propriedade, o que aumentou sua frustração e agressividade. Por fim, o detento convenceu seus advogados a adotarem os dois animais.

Depois de matarem os animais da fazenda, os dois cães já estavam profundamente na zona de alerta. Ninguém os corrigiu após os ataques – eles simplesmente foram deixados num canto, afastados. Então foram levados à cidade e passaram a ser cuidados por donos inexperientes e a viver num apartamento, onde sua frustração acumulada continuou aumentando. Eles recebiam muito carinho dos novos donos, mas retribuíam pulando neles – dominando-os. Os advogados os levavam para passear com freqüência, mas os cães sempre iam à frente, arrastando os donos e os dominando durante o passeio. Depois da tragédia, várias testemunhas foram a público dizer que já tinham visto Marjorie correndo atrás dos cães enquanto eles a puxavam pela coleira, completamente sem controle.

Na cidade, não havia carneiros nem galinhas que lhes servissem de alvo. A maior parte da energia fraca que eles sentiam vinha dos seres humanos. Quando os cães estavam dentro do elevador do prédio, tudo que tinham de fazer era rosnar, e as pessoas se afastavam e se recusavam a entrar. As pessoas tremiam de medo só de ver aqueles cães enormes na rua. Esse fenômeno de causa e efeito intensificou o estado de espírito dominante dos animais. Para eles, a projeção de medo de um ser humano não era diferente daquela de uma galinha ou de um carneiro. Medo é medo. É energia fraca. Ninguém havia bloqueado seu comportamento agressivo e dominante quando eles atacaram os animais na fazenda. E ninguém bloqueava seu comportamento na casa dos advogados. Os cães não sabiam por que a mulher da fazenda se desfizera deles. Só sabiam que ter um comportamento dominante e agressivo era a única maneira de sobreviver e seguir em frente que haviam aprendido. Por que mudariam de comportamento agora?

Eu gostaria de poder voltar no tempo e começar essa terrível história de outra maneira. Começaria mostrando a esses cães, desde o princípio, que a agressão não é algo tolerado. Ponto. Mas fazer isso com uma raça forte exige trabalho e energia. O ideal seria que eles tivessem de quatro a oito horas de atividades e exercícios todos os dias. Deveriam ser, desde filhotes, sociabilizados para que aceitassem outros animais e outros cães como membros da matilha e os seres humanos, principalmente as crianças, como líderes de matilha. As pessoas não deveriam ter condicionado esses dois cães a participar de "jogos" de dominância, como cabo-de-guerra ou luta. Conforme eles cresciam, sempre ganhavam esses jogos, o que aumentou a percepção de dominância que tinham de si mesmos. Seus donos nunca deveriam ter usado a dor para infligir castigo. Esses cães precisavam de seres humanos firmes, fortes, calmos e assertivos como líderes de matilha.

Para aquelas pessoas que colocam a culpa na raça, é verdade que dogues canários, mastifes italianos, pit bulls e rottweilers foram criados originalmente para ser "gladiadores caninos". Mas eles são animais e cães em primeiro lugar, antes de ser uma raça. A mesma energia poderosa pode ser redirecionada e canalizada para outras atividades. Os seres humanos também eram gladiadores no passado, mas hoje redirecionamos essa energia ao basquete, ao beisebol, ao futebol e ao hóquei. Os dogues canários foram originalmente criados para ser cães de guarda, mas também foram usados pelos espanhóis como pastores. Os cães pastores não matam os rebanhos. Os dogues canários e seus parentes eram ótimos cães de exposição no passado recente. Sua energia física e psicológica foi redirecionada para o desempenho no ringue.

A raça não molda necessariamente o comportamento de um cão, mas os cães de raças fortes têm necessidades especiais e precisam que pessoas especiais cuidem deles – pessoas responsáveis e dedicadas. Infelizmente, os dois advogados não estavam preparados para cuidar daqueles cães. Eles levaram a dupla para treinamentos de obediência, mas, como você já sabe, aprender a obedecer a comandos não ajuda a acabar com o medo, a ansiedade, o nervosismo, a dominância e a agressividade de um cão desequilibrado.

Os donos disseram "amar" os cães, mas, repito, o carinho não é a coisa mais importante de que um cão precisa. Ele também precisa de regras, de limites e de restrições – e, pelo que as testemunhas disseram no tribunal, parece que os donos eram, na pior das hipóteses, negligentes ou, na melhor delas, pouco firmes com as regras. Um vizinho que fora mordido por um dos cães disse que o comentário de Noel após o incidente foi: "Hum, que interessante". Outras testemunhas afirmaram ter visto os dogues canários ameaçarem e atacarem outros cães dois dias antes do ataque mortal. Uma profissional que leva cachorros para passear disse que, quando viu Noel andando com os cães e lhe pediu que colocasse a focinheira neles, ele mandou que ela se calasse e a ofendeu com xingamentos.

Diane Whipple, a vítima inocente, também já tinha sido mordida por um dos cães, e desde então morria de medo deles e evitava encontrá-los no prédio. Os donos dos cães não apenas não pediram desculpas a ela, mas também, e mais importante, não procuraram ajuda profissional para fazer com que os animais se sentissem confortáveis na presença de Whipple e para que ela ficasse em segurança na presença deles no futuro. Os donos não fizeram nada, de modo que, da próxima vez que os cães a encontrassem com energia carregada de medo, ela seria novamente um alvo.

O ataque a Whipple mais pareceu um filme de terror. Durou entre cinco e dez minutos, e o médico-legista afirmou que apenas a sola dos pés e o topo da cabeça da mulher não foram feridos. Ela morreu no hospital quatro horas depois do ataque. Duas outras mortes desnecessárias resultaram dessa tragédia: Bane e Hera foram sacrificados. Bane, o macho, foi morto no dia do ataque. Ofereci meus serviços para tentar reabilitar Hera. Esses cães não nasceram assassinos; os seres humanos os ensinaram a ser assim. Mas, apesar de eu acreditar que Hera tinha uma chance de ser recuperada, a situação chegou ao ponto em que o clamor público selou seu destino. Mesmo que eu conseguisse mudar seu comportamento, ninguém mais voltaria a confiar nela.

Criando um monstro

Eu já disse que os líderes de matilha nascem prontos, não são feitos. Os cães na zona de alerta são o oposto – são feitos assim, não nascem assim. Os seres humanos criam cães para ser monstros em zona de alerta. Começamos esse processo há milhares de anos, criando cães para ser lutadores, escolhendo-os por terem determinadas características e cruzando-os com parceiros parecidos. Os pit bulls e os bull terriers foram criados na era vitoriana para participar de esportes violentos, como lutas e batalhas. Foram escolhidos por conseguirem vencer o inimigo com uma mordida forte, de grande pressão. Os rottweilers são descendentes de cães de vaqueiros romanos. Viajavam com o exército romano pelo continente europeu, protegendo os gigantescos rebanhos e afastando lobos e outros predadores.[7] Durante a invasão na Bretanha, em 55 a.C., Júlio César descreveu os ancestrais das raças mastins que lutavam ao lado de seus mestres. Esses cães demonstraram tanta coragem que foram levados a Roma para enfrentar outros cães, touros, ursos, leões, tigres e até gladiadores humanos no Circus Maximus.[8] Esses antigos mastins são os ancestrais de Bane e Hera, os dogues canários que mataram Diane Whipple.

Criamos esses cães para ser guerreiros, mas, por baixo da armadura, são apenas cães com armas mais poderosas que as dos outros. Eles não nascem perigosamente agressivos; podemos socializá-los desde filhotes, para que se dêem bem com crianças, adultos e até mesmo com gatos e outros animais. Apesar de o instinto de luta estar em seus genes, eles precisam de orientação

---

7 American Kennel Club, *The Complete Dog Book*, 19ª ed. rev. Nova York: Wiley Publishing, 1998, pp. 286-87.

8 Idem, op. cit., pp. 271-75.

para deixar que esse instinto aflore. Na maioria dos países, a rinha de cães é ilegal, mas é muito mais comum do que imaginamos. Alguns criadores de pit bull, conhecidos como *dogmen*, acreditam que a única maneira de manter a linhagem do puro american pit bull terrier é provar a "capacidade de luta" dele: a habilidade de lutar até morrer. Esses homens participam de um esporte conhecido como "jogo de teste", em que colocam seus cães em um ringue com outro cão e separam aqueles que conseguem sobreviver mas que não atingem as expectativas dos criadores. Esses perdedores são mortos pelos donos ou abandonados e passam a vagar pelas ruas. Às vezes têm a sorte de ser encontrados por organizações de resgate de animais. Geralmente são pegos pela carrocinha e sacrificados, se não encontrarem um novo dono – na maioria das vezes, pelo simples motivo de estarem "vestindo a roupa" de um pit bull, de um dogue canário ou de um rottweiler. E às vezes atacam e matam outros cães – ou pessoas.

Também já se tornou comum e é considerado moderno ou "coisa de macho" que os membros de gangues tenham cães grandes e com cara de bravos ao lado – animais que eles exibem como armas de quatro patas. A briga ilegal entre cães se tornou uma atividade popular para algumas gangues. Apostar em qual animal conseguirá sair vivo do ringue passou a ser diversão. Mas a rinha de cães não é coisa apenas de gangues e criminosos. De acordo com o *New York Daily News*, nos Estados Unidos existem rinhas de cães em que pessoas abastadas apostam milhares de dólares. "Somos como uma sociedade secreta", gaba-se uma fonte não revelada na matéria. "As pessoas envolvidas são de todas as posições sociais: celebridades, acionistas de Wall Street, pessoas comuns."[9] Independentemente de onde esse tipo de luta

---

[9] Juan Gonzalez, "News & Views: This Web Site's the Pits", *New York Daily News*, 4/12/2003, disponível em: <http://www.nydailynews.com/news/story/142548p-126284c.html>.

aconteça, o mais assustador é que as pessoas que se envolvem nesse esporte sangrento muitas vezes levam os filhos para assistir às rinhas, criando um círculo vicioso de brutalidade. Elas tornam uma nova geração insensível à crueldade com os animais e à violência de modo geral.

As pessoas que criam pit bulls, dogues canários, mastifes italianos ou outras raças para lutar transformam cães inocentes em assassinos por meio de maus-tratos. Quando são pequenos, esses cães não têm permissão de ser filhotes; têm de ser guerreiros o tempo todo. Os donos começam a bater na cabeça dos animais desde pequenos, colocam pimenta na ração, os provocam e permitem que eles sejam atacados por cães maiores – tudo isso porque acreditam que esse tratamento tornará o animal bravo. Eles o beliscam e o socam sem parar, até que o cão mostre os dentes, e param quando isso acontece – assim, ele aprende a mostrar os dentes para sobreviver. Compram galinhas e permitem que o animal as persiga. Depois as amarram, para que o cão aprenda a matar. Ele não tem escolha. Quando deixa de ser útil, é descartado pelo dono como lixo – geralmente é abandonado em uma estrada qualquer. É por isso que vemos tantas raças fortes, como pit bulls, boxers, rottweilers, mastins e pastores alemães, em abrigos. Muitas vezes esses cães são considerados inadotáveis e são sacrificados. Meu Centro de Psicologia Canina abriga muitos cães que foram julgados como "casos perdidos" antes de chegarem a mim para reabilitação. Alguns desses "casos perdidos" hoje vivem felizes com outra família ou têm funções produtivas na polícia ou em organizações de busca e resgate.

Os homens que criam cães para atividades ilegais só querem se exibir. Acreditam que, se saírem por aí com um cão forte, cheio de cicatrizes, com as orelhas cortadas e corrente no pescoço, vão parecer durões e ser imediatamente reconhecidos como *bad boys*. Felizmente para os cães – ou pelo menos para aqueles que sobrevivem e ganham uma chance de reabilitação –, esses *bad boys* também são maus treinadores e cuidadores. Primeiramente, começam a violência quando o animal ainda é muito pequeno, o que deixa o cachorro mais traumatizado que pronto para a briga. Os cães ficam assustados, temerosos e tensos diante de uma luta. Só brigam por medo – pela reação de fuga ou luta.

A falta de competência dos donos é o principal motivo pelo qual eu tenho sucesso nas reabilitações. Antes de mais nada, convido o animal a entrar num estado de espírito calmo. Ele percebe que ser calmo é muito mais vantajoso que viver como tem vivido. Diferentemente dos seres humanos, que têm o poder (ou a maldição) da negação e acabam permanecendo em situações de agressão, os animais sempre procuram o equilíbrio. Automaticamente o cérebro diz: "Finalmente consegui uma folga". Eles ficam aliviados por serem tirados de um estado de tensão constante. Sim, ainda são pit bulls, mas, antes de mais nada, são cães. E os cães não devem matar uns aos outros. Por isso, quando "bloqueio" os genes de pit bull, o verdadeiro "ser" do cão aparece. O cérebro deixa de enviar sinais de pit bull e passa a enviar apenas sinais de cachorro.

Raça e agressão

Apesar de não haver uma raça de zona de alerta, estatisticamente os pit bulls são os principais responsáveis por mordidas nos Estados Unidos, sendo os causadores de 41 das 144 mortes que ocorreram desde 2000, de acordo com a Fundação Nacional de Pesquisa Canina. Os rottweilers ocupam o segundo lugar, com 23 ataques. Foi por esses números que os pit bulls foram proibidos em duzentas cidades e municípios dos Estados Unidos, incluindo Miami, Cincinnati e Pawtucket, no estado de Rhode

Island.[10] Em alguns estados, os moradores não conseguem fazer seguro residencial, ou têm de pagar planos especiais, se tiverem cães de certas raças. Por exemplo, a Allstate não cobre casas onde as pessoas mantenham pit bulls, akitas, boxers, chow-chows, dobermanns, rottweilers, dogues canários ou híbridos de lobo.[11] Apesar de seguros com valores mais altos serem uma maneira de incentivar a responsabilidade dos donos de cachorros, acredito que a proibição de certas raças não é a solução. (É interessante notar que o American Kennel Club nem sequer reconhece o pit bull como uma "raça" oficial.) Rotular certas raças como "fora-da-lei" é uma solução rápida, mas que não traz a cura definitiva para as mordidas e os ataques de cães.

A verdade é que qualquer raça pode se tornar um caso de zona de alerta – é a força do cão e o tamanho da vítima que determinam o tamanho do estrago. Outras raças também já mataram pessoas. Por exemplo, em 2000, um lulu-da-pomerânia mestiço matou uma menina de 6 semanas de vida no sul da Califórnia. Em 2005, um husky siberiano – raça considerada calma – atacou e matou um bebê de 7 dias em Rhode Island.[12] O dono do animal quase sempre é o responsável – e não a raça ou o cão. Da mesma maneira, qualquer cão pode se tornar uma boa e obediente companhia, mesmo que seja de uma raça conhecida por ser "naturalmente agressiva". Lembre-se, a agressão não é um estado natural – ela é o resultado da instabilidade. Tudo isso tem a ver com o relacionamento entre o cão e seu líder de matilha calmo e assertivo.

---

[10] Maryann Mott, "Breed-Specific Bans Spark Constitutional Dogfight", *National Geographic News*, 17/6/2004, disponível em: <http://news.nationalgeographic.com/news/2004/06/0617_040617_dogbans.html>.

[11] Kerry Kearsley, "Washington Bill Asks Insurers to Consider Dogs' Deeds, Not Their Breeds", *AP Online*, 18/3/2005.

[12] Benjamin N. Gedan, "Even Mild-Mannered Dogs Can Be Lethal to Children", *The Providence Journal*, 15/7/2005, p. B17.

ATAQUES FATAIS DE CÃES, 2000-2005*

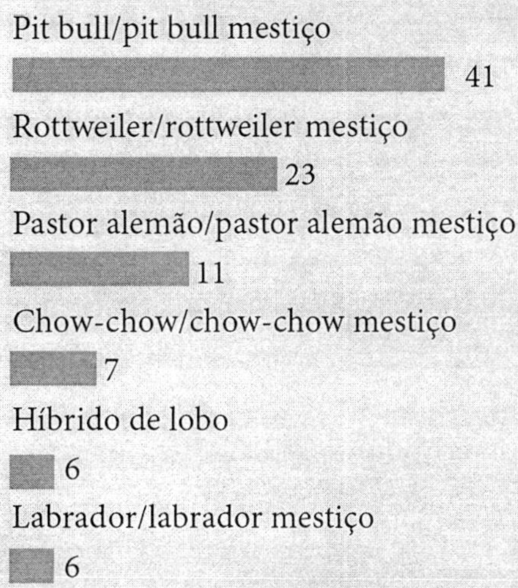

* Até começo de julho de 2005.

Fonte: Fundação Nacional de Pesquisa Canina.

Emily na zona de alerta

Um dos episódios mais intensos de *Dog Whisperer* foi sobre o caso de Emily, uma pit bull de 6 anos na zona de alerta. Esse caso mostrou, entre outras coisas, que, quando estereotipamos uma raça de cães levando em conta nossas piores expectativas sobre seu comportamento, geralmente criamos o que mais tememos.

Emily era linda. Desde filhote, ela sempre foi pequena para sua raça, com uma pelagem branca e manchas marrons. Quando a adolescente Jessica percebeu que uma das manchas de Emily tinha o formato perfeito de um coração, soube que a cadela era especial. São características encantadoras como essa que nos atraem e nos fazem decidir levar um cão para viver conosco, geralmente sem compreender totalmente nossa responsabilidade em relação ao animal.

Jessica se apaixonou por Emily à primeira vista e, por impulso, a levou para casa. Jessica vivia com o pai, Dave, que deixava a filha fazer o que quisesse. Porém ele não queria que ela tivesse um cão e, quando soube que ela escolhera um pit bull, se opôs ainda mais. Sempre ouvia as pessoas dizerem que os pit bulls eram cães agressivos e incontroláveis. Mas Emily era o filhotinho mais lindo que ele já tinha visto; por isso, como sempre, cedeu à vontade da filha.

Como Dave nunca determinou regras, limites e restrições para Jessica, ela, por sua vez, não as passou para Emily. Ao mesmo tempo, Dave via Emily crescer e sentia medo. "Um dia ela será perigosa", ele acreditava, conscientemente ou não. Por mais que gostasse da cadela, não conseguia deixar de pensar nisso. Como já tentei ilustrar neste livro, o que pensamos a respeito de um cão se transforma em energia – energia que ele capta. Nossas impressões sobre ele determinam como ele será. Não é mágica. A energia é passada de diversos modos físicos: pela maneira como acariciamos o cão, como o seguramos, pelos cheiros e emoções que transmitimos a ele. Enquanto crescia, Emily vivia com um dono que estava se preparando para ter medo dela. Ele agia com cuidado, temendo que ela se tornasse um pit bull grande e bravo, e permitia que ela fizesse o que queria em casa, que latisse descontroladamente para os outros cães na rua e agisse de modo dominante com ele e com a filha.

Emily também cresceu em um ambiente no qual não foi exposta a outros semelhantes. Isso acontece com muitos cães. Alguns animais – dóceis, de energia baixa ou média e calmos – não são afetados por isso. Podem ver o primeiro cão na vida quando já têm 5 anos e agem como se estivessem acostumados com outros cães há muito tempo. Mas nem todos são assim. Muitos – principalmente os de abrigos – são como Emily. São sensíveis, reativos... e extremamente receptivos à energia dos donos. Na primeira vez em que Emily saiu para passear, agiu de modo agressivo com os cães que se aproximavam. E Jessica e Dave sempre a mimavam e confortavam após tais demonstrações de agressão. Emily, assim, concluiu que sua obrigação era proteger a família.

Quando conheci Emily, ela tinha 6 anos e era muito dócil com seus companheiros humanos – desde que eles não lhe dessem nenhuma ordem. Mas, com outros cachorros, era um cão na zona de alerta. Se sentisse o cheiro de outro cão durante um passeio, ficava maluca. Latia, debatia-se para se livrar da coleira e tentava atacar. Ela puxava a coleira com tanta força que chegava perto de se enforcar, mas não ligava para a dor – sinal clássico de um cão na zona de alerta. Os cães na zona de alerta chegam a se ferir em seu desejo de matar. Dave temia que Emily ferisse não apenas outro cão, mas também uma pessoa que cruzasse o caminho. Por isso, preocupados com o temperamento da cadela, Dave e Jessica pararam de levá-la para passear. Durante anos deixaram que ela corresse no quintal de tamanho médio da casa, onde a agressividade e a frustração continuaram a aumentar. Pai e filha tinham criado o monstro que tanto temiam: um pit bull muito perigoso.

A agressividade de Emily era tão grande que a levei ao Centro de Psicologia Canina para fazer seis semanas de terapia intensiva. Ela estava em contato com a parte de sua mente que era pit bull. Eu precisava que ela ficasse com a matilha para poder se reconectar com as partes mais profundas de sua mente que eram animal e cão.

Estar entre semelhantes é muito terapêutico para os cães. Apesar de sermos aceitos como membros da matilha, sempre falaremos com eles numa língua estrangeira. Os cães falam o idioma uns dos outros de modo instintivo. Para conseguir equilíbrio total, eles precisam estar entre outros cães com energia equilibrada. Emily precisava estar entre cães para reaprender a ser um cão.

Quando ela chegou ao Centro e viu a matilha de quarenta cães olhando para ela pela cerca, sua pose de menina má sumiu. Foi como uma versão canina de *Scared Straight*.* Será que ela brigaria, escaparia, evitaria ou se submeteria? A geralmente agressiva Emily ficou paralisada. Estava sob tanta tensão que vomitou três vezes antes de conseguir atravessar a cerca. Caminhei com ela entre a matilha, e ela deixou que os outros cães a cheirassem pela primeira vez. Estava aterrorizada. Mas, quando a coloquei sozinha em uma área separada, conseguiu relaxar. Emily se submeteu tão rapidamente que percebi que ela sairia dali uma nova cadela.

Durante suas seis semanas no Centro, trabalhei com ela diariamente. Eu a mantive isolada a princípio, permitindo que observasse a matilha interagindo. Os cães aprendem muito observando outros cães e captando a energia deles. Então, depois de uma vigorosa sessão de corrida ou de patins para extravasar sua energia, comecei a deixá-la com a matilha, no início durante uma hora por dia, depois duas, três e assim por diante. Nas primeiras semanas, eu sempre a supervisionava enquanto ela estava na matilha, para poder separar uma briga que ocorresse. Ela provocou uma briga no começo, então fiz com que se deitasse e se submetesse ao outro cão. Depois disso, começou a se acostumar com a rotina. Sempre que trabalhava com ela, antes de mais nada eu fazia com que se exercitasse – uma mente cansada se submete

---

* Documentário norte-americano dirigido por Arnold Shapiro, em que um grupo de delinqüentes juvenis era apresentado a detentos de um presídio em New Jersey e conhecia a violenta realidade da vida na prisão. O objetivo era "assustar" os adolescentes para que eles decidissem abandonar a vida de crimes. (N. do E.)

com mais facilidade. Emily era um cão de alta energia e tinha anos de energia acumulada sustentando sua agressividade. Fizemos sessões extras de patins e de esteira. No final da segunda semana, ela começou a ficar relaxada entre os outros membros da matilha.

No meio da reabilitação de Emily, convidei Dave e Jessica para irem visitá-la. Queria observar o efeito que a presença deles teria no progresso da cadela. Pude perceber que eles estavam tensos pela maneira como atravessaram o portão. E então, como já era esperado, enquanto Dave caminhava com Emily, ela atacou Oliver, um dos dois springer spaniels do grupo. Interrompi a briga em segundos, mas pude ter certeza da minha suspeita. A energia temerosa de Dave, que agia com muita hesitação perto de Emily, e a ansiedade de Jessica em relação ao comportamento do animal colocavam Emily novamente no estado dominante que ela sempre adotava perto deles. Emily precisava de mais trabalho e paciência da minha parte, e seus donos também precisariam de bastante trabalho. Contei a eles quanto contribuíam para a instabilidade de Emily. Foi difícil para os dois, pois gostavam dela, e a reação natural foi sentir culpa pelo passado. Pelo bem de Emily, pedi que eles esquecessem o passado e tentassem viver o presente – o momento que Emily vivia! A lição de casa dos dois seria se preparar para a posição de líderes calmos e assertivos que teriam de assumir quando Emily voltasse para casa.

Antes de levar Emily ao Centro, havia o sério risco de que ela atacasse e matasse outro cão. Ela estava em um estado constante de tensão acumulada. Quando a levei de volta para casa, seis semanas depois, eles mal reconheceram a pit bull calma e relaxada que caminhava ao meu lado. A pior parte para eles foi não poder recebê-la com um efusivo "Seja bem-vinda!" e enchê-la de carinho. Tentei mostrar a eles que, controlando as próprias emoções, estavam dando a ela o presente de um novo jeito de ser, muito mais calmo. Emily não estava pensando: "Ué!? Por que eles não estão felizes em me ver?" Lembre-se, os cães percebem quando estamos felizes, e principalmente quando estamos felizes com eles. O tipo de energia emocional e agitada que Jessica e Dave estavam acostumados a usar com Emily precisava ser dosado, porque só criava mais agitação para ela – e a agitação em um cão de alta energia cria energia em excesso, que precisa ser extravasada. Quando Emily se acostumou de novo com a casa e estava calma e submissa, Dave e Jessica puderam partilhar o carinho que tinham no coração. Dei a eles a tarefa diária de passear com Emily diante da casa do velho inimigo dela, o dobermann do vizinho. Eles precisavam ter paciência e uma rotina rígida. Precisavam se acostumar a corrigir Emily da forma apropriada, se ela voltasse a ser agressiva.

A boa notícia é que Emily está bem e volta ao Centro para ficar com a matilha quando seus donos saem da cidade. É benéfico para o meu coração vê-la de novo aqui. Ela é bem recebida por todos, como um antigo membro da matilha.

Tarde demais

Apesar de alguns treinadores e estudiosos do comportamento canino discordarem de mim, acredito que existem poucos cães que não podem ser reabilitados, mesmo que já estejam na zona de alerta. Para mim, os membros da minha matilha são uma prova viva de que, se as necessidades dos cães forem satisfeitas todos os dias, seus instintos naturais procuram o equilíbrio. Ainda assim, dentre os milhares de cães que já passaram por minhas mãos, houve dois que não pude, em sã consciência, devolver à sociedade. Nunca me esquecerei deles, e nunca vou deixar de pensar que poderia ter feito mais por eles. Trabalhar com esses cães me mostrou que existem casos que podem estar muito além da minha capacidade de ajudar. Também me mostrou os danos terríveis e imperdoáveis que os seres humanos podem causar a animais que confiam que vamos cuidar deles.

O primeiro cão foi Cedar, uma pit bull pura de 2 anos. Cedar não era um cão de briga, mas foi muito agredida por quem a criou. Ela tinha sofrido muita crueldade física, e sua agressividade obviamente havia sido nutrida e incentivada. Também tinha sido condicionada ou treinada para atacar seres humanos. E não atacava apenas as pernas e os braços, mas também o pescoço. Ela atacava para matar. Isso não é natural – a raça pit bull não foi criada para atacar seres humanos, e sim gatos, bodes e outros cães –, mas é da natureza do pit bull fugir de pessoas ou atacar apenas quando ameaçado ou encurralado. Claramente, alguém havia direcionado a agressividade de Cedar para que ela atacasse pessoas, e fizera isso a ponto de a cadela não querer se relacionar com outro ser humano. Seus primeiros donos a viam como uma arma, não como uma criatura viva. E então, por algum motivo, a abandonaram.

Um homem generoso de uma organização de resgate encontrou Cedar vagando pelas ruas. Ela se tornou muito próxima desse homem. Até mesmo os cães que são agressivos com os seres humanos precisam formar uma matilha e geralmente se aproximam de uma pessoa. Entretanto, se alguém mais se aproximar do cão, cuidado. Logo ficou claro que Cedar via todos os outros seres humanos como inimigos. Ela atacava qualquer pessoa que se aproximasse. O homem que a resgatou teve boa intenção, mas fez o que todo mundo faz – nutriu a agressividade dela com carinho e simpatia. Ele dizia: "Mas ela me ama. Não faz isso comigo". Infelizmente, contudo, atacava todas as outras pessoas. O abrigo entrou em contato comigo e perguntou se eu poderia reabilitá-la.

No momento em que me aproximei da jaula de Cedar, pude ver sua expressão de raiva enquanto rosnava e olhava para o meu pescoço. Consegui prendê-la com uma coleira e trabalhei com ela por horas, todos os dias, sem parar – até nós dois ficarmos exaustos. Depois de um pouco mais de duas semanas, consegui fazer com que ela se submetesse a mim, mas a mais ninguém. Se um de meus assistentes se aproximasse, Cedar recomeçava o comportamento de ataque, visando diretamente o pescoço. Naquele ponto, o abrigo me pediu um relatório de progresso. Tive de dizer a eles que não acreditava que Cedar estava pronta para voltar à sociedade. Ela fora muito maltratada, e era um perigo verdadeiro à vida das pessoas. Cedar continua viva, mas é mantida confinada com o único homem em quem confia. Nenhum outro ser humano pode ficar no mesmo ambiente que ela. Foi meu primeiro "fracasso". Em uma vida inteira trabalhando com cães, nunca tinha visto um caso assim. Cedar realmente me mostrou como um cão pode ser profundamente prejudicado.

O segundo cão que não consegui reabilitar foi um macho de 5 anos, uma mistura de chow-chow com golden retriever que chamarei de Brutus. Ele tinha sido resgatado por uma mulher e se tornara estranhamente possessivo com ela. Após o cão atacar e tentar matar seu marido, a mulher me procurou. Cuidei de Brutus por muito tempo, e por um momento parecia que ele estava indo bem. Mas de vez em quando, se eu o corrigisse, esperava até eu virar de costas e tentava me atacar. Diferentemente de Cedar, que partia diretamente para a jugular, Brutus atacava mais embaixo, mas o fazia com toda a força. Não soltava, não se entregava e não era previsível. Quando a mulher que o resgatara voltou, eu lhe disse que, apesar de ele estar mais calmo, não acreditava que estivesse completamente reabilitado. Eu não conseguia prever as reações daquele cão e, depois de todo o tempo que tinha passado com ele, ainda não me sentia confiante em seu progresso. Apesar de meus alertas, a mulher ainda assim quis levá-lo embora. Após uma semana, telefonei para ter notícias dele, e a mulher me disse que estava bem melhor. Um mês depois, ele atacou outro homem.

Brutus terá de viver sob supervisão constante em um abrigo. E, como Cedar, foi condenado a esse tipo de vida por seres humanos que o maltrataram.

Gostaria que se criassem reservas para cães que não podem ser reabilitados nem viver com segurança entre seres humanos. Em meus sonhos, imagino campos de golfe sendo transformados em reservas de cães, com pessoal treinado para cuidar deles – e também para estudá-los. Esses cães prejudicados podem nos ensinar muitas coisas. Podem nos ensinar a respeito da violência que cria cães assassinos. Podem nos mostrar como é ruim para eles viver de modo instável. E podem nos ajudar a diferenciar cães instáveis que não se rendem de cães que têm a capacidade de se tornar equilibrados. Podemos começar a aprender os sinais aos quais devemos ficar atentos em um cão que não pode ser mudado. Na minha opinião, não deveríamos sacrificá-los. Esses cães são mortos pelo que os seres humanos lhes fazem. Acredito que deveríamos ser criativos o bastante para descobrir um modo de eles passarem o resto da vida da maneira mais confortável possível.

Um cão não é uma arma

Neste mundo moderno, todos nos preocupamos com crimes e com o modo como eles podem afetar nossa família. Há milhares de anos, os seres humanos têm usado os cães como guardas e como armas, tanto contra animais quanto contra outros seres humanos. Hoje, parece que temos mais medo das pessoas. Os cães, principalmente os de raças fortes, podem ser bons cães de guarda para a sua família. Certamente são bons protetores. As estatísticas mostram que 75% dos donos de cachorros esperam que seus animais desempenhem o papel de protetores da residência.[13] Mas, quando insistimos que um cão seja uma companhia leal e amorosa *e também* uma arma de proteção, talvez estejamos pedindo demais.

Alguns cães na zona de alerta que descrevi eram acorrentados e confinados em pequenas áreas como "cães de guarda", e, mesmo que não tenham sofrido nenhuma forma de violência, a frustração que se formou dentro deles era potencialmente letal para qualquer invasor - incluindo um carteiro, um parente ou uma criança que estivesse passando. Se seu cão atacar alguém, você pode ser processado e, como no caso da morte de Diane Whipple, ir para a cadeia. E pense no bem-estar do seu cão. A maioria dos cachorros que atacam pessoas é sacrificada por exigência da lei ou pelo Centro de Controle de Zoonoses. Esse órgão não quer correr riscos no que se refere à segurança da população em geral - ou à opinião pública. Se você usa um cão como arma de defesa, isso pode lhe acontecer.

Apesar de grande parte do meu trabalho ser realizada atualmente com a reabilitação de cães, já fui e ainda estou envolvido no treinamento de cães de guarda, cães policiais e cães de ataque. Treinar esses animais é uma arte, e é preciso que um profissional entre em cena. Se você quer que um cão de uma raça forte proteja sua casa, precisa começar da maneira certa. Precisa da orientação de um profissional experiente e tem de aprender a exercer a forma mais forte de liderança calma e assertiva com o seu cão. Entretanto, você deve analisar cuidadosamente todas as vantagens e desvantagens de fazer com que seu cão tenha uma vida dupla - de protetor e de amigo.

---

[13] Bruce Fogle, *The Dog's Mind: Understanding Your Dog's Behavior*. Nova York: Macmillan, 1990, p. 126.

Nossa responsabilidade

Como donos de cães, temos a responsabilidade – tanto com nossos cães quanto com os seres humanos – de controlar o comportamento do animal. Se temos um cão violento que não se sociabilizou nem se reabilitou e apresenta qualquer risco aos nossos vizinhos ou aos seus cães, estaremos agindo de modo irresponsável se permitirmos que o animal permaneça em sociedade. Alguns estudiosos do comportamento canino e veterinários acreditam que o reforço positivo e as técnicas de aprovação são adequados para qualquer cão, em qualquer momento, em qualquer situação. Na minha opinião, se o comportamento do cão puder ser condicionado com o uso de recompensas e de reforço positivo, ótimo. É sempre melhor que os seres humanos abordem o comportamento e o treinamento de cães de modo positivo e piedoso, e não é correto, em hipótese alguma, castigar um animal por raiva. Os cães – e todos os outros animais – devem sempre ser tratados com compaixão. Mas também temos de lembrar que os cães em zona de alerta se tornam sempre mais agressivos, até matarem ou aleijarem outro cão ou, na pior das hipóteses, um ser humano. Um cão na zona de alerta está perigosamente fora de controle, e não há amor, carinho ou biscoitos que o impeçam de causar sérios danos.

Se você é dono de um cão de raça forte, não pode fazer nada para controlar a energia das pessoas ao redor. Não pode esperar que elas não tenham medo do seu cão – mesmo que ele não faça mal a uma mosca. A única coisa que você pode controlar é o cão. E esse é o seu dever para com as pessoas e os animais com os quais convive.

Os cães na zona de alerta precisam saber que estamos no controle. Isso não significa que devemos ser agressivos com eles. O castigo não cura a agressividade – geralmente, no caso de cães na zona de alerta, acaba aumentando-a. Mas, como responsáveis pelo animal, devemos ser fortes e assertivos, e devemos *corrigir* regularmente comportamentos indesejados e perigosos. Os cães precisam conhecer nosso poder e nos ver como líderes da matilha. Isso tudo conseguimos alcançar por meio de disciplina física e psicológica. Assim, muitos cães agressivos só podem ser auxiliados por especialistas qualificados, que têm experiência em lidar com casos perigosos de zona de alerta. Se você tem qualquer dúvida a respeito da sua capacidade de lidar com o seu cão – ou se acredita que ele pode ameaçar você ou a sua família –, então tem o dever de procurar um especialista com cujas técnicas e filosofia você concorde.

Por fim, acredito que nenhum cão na zona de alerta deve ser sacrificado a menos que todas as medidas possíveis de reabilitação tenham sido tomadas. Existem poucos abrigos de cães no mundo que não matam os animais – e os que existem estão sempre lotados e sem dinheiro. As pessoas dedicadas que gerenciam esses locais, no entanto, concordam comigo e acham errado matar um animal que não teve nenhuma consciência moral ou controle mental sobre o que fizeram com ele. Não devemos condenar à morte cães que se tornaram monstros criados pelos próprios donos – monstros que não deveriam ser.

7

FÓRMULA DE CESAR PARA UM CÃO EQUILIBRADO E SAUDÁVEL

Este livro não é um manual de "como fazer". Como mencionei na introdução, não estou aqui para ensiná-lo a fazer com que seu cão reconheça comandos ou sinais; não pretendo ensiná-lo a conseguir que seu cão deite ou faça truques. Existem muitos guias e livros sobre adestramento, além de diversos profissionais qualificados capazes de ensinar essas técnicas. Mas, apesar de meu principal objetivo ser fazê-lo compreender melhor a psicologia canina, também tenho alguns conselhos para dar. Esses conselhos se aplicam a todos os cães, não importam a raça, a idade, o tamanho, o temperamento ou o fato de o cão ser dominante ou submisso. Esta é minha fórmula de três partes para deixar a vida do seu cachorro completa. Lembre-se: não se trata de uma solução única e rápida para um cão problemático. Os cães não são equipamentos; você não pode simplesmente mandá-los para o conserto e pronto. Se pretende fazer com que esta fórmula funcione, tem de colocá-la em prática todos os dias da vida do seu animal.

A fórmula é simples. Para ter um cão equilibrado, você precisa lhe oferecer três coisas:

- Exercícios
- Disciplina
- Carinho

Nessa ordem!

Por que a ordem é importante? Porque é a ordem natural das necessidades inatas do seu cão. Na sociedade atual, o problema é que os cães recebem dos donos apenas parte da fórmula: carinho, carinho, carinho. Algumas pessoas fazem melhor, dando carinho e exercícios. Outras dão as três coisas, mas sempre com o carinho em primeiro lugar. Como já repeti diversas vezes ao longo do livro, essa é a receita para criar um cão desequilibrado. Sim, nossos cães precisam do nosso carinho. Mas precisam de exercícios e liderança primeiro. Principalmente exercícios, como você verá.

1. Exercícios

Essa é a primeira parte da fórmula da felicidade do seu cão – e é algo que não pode ser esquecido. Ironicamente, é a primeira coisa que a maioria dos donos deixa de fazer. Talvez seja pelo fato de as pessoas em geral não terem o hábito de fazer exercícios, por isso não percebem que todos os animais, até mesmo os seres humanos, têm uma necessidade inata de ser ativos. Simplesmente sair e se exercitar parece ser um hábito esquecido na sociedade hoje em dia. Nossa vida moderna é tão corrida que parece algo muito complicado sair para passear com os nossos cães. Mas, se você pretende ser responsável pela criação de um animal, esse é um contrato que tem de assinar. Você precisa sair para caminhar com o seu cão. Todos os dias. De preferência, pelo menos duas vezes ao dia. E, no *mínimo*, por trinta minutos de cada vez.

Exercícios:

Essa deve ser a primeira e mais importante atividade praticada em conjunto pelo cão e seu dono.

Disciplina:

Deve ser aplicada com o estabelecimento de regras, limites e restrições entre o cão e seu dono. Disciplina também quer dizer regularidade com as tarefas e com as atividades dadas.

Carinho:

Essa deve ser a última atividade realizada com o cão pelo dono. O carinho também pode ser usado como recompensa por bom comportamento (de preferência, sem o uso da voz).

Andar com o seu cão é essencial. É da natureza dele migrar com a matilha. Os cães não gostam das caminhadas apenas por terem uma chance de fazer xixi, cocô e respirar um pouco de ar fresco – apesar de a maioria dos donos ter essa opinião. Para alguns donos, "passear com o cachorro" significa soltá-lo no quintal para ele agir um pouco e depois colocá-lo de volta dentro de casa. Isso é tortura para qualquer cachorro. Cada célula do corpo do seu cão clama por um passeio. Na natureza, os cães passam até doze horas caminhando à procura de comida. Os lobos – seus ancestrais – são conhecidos por caminharem centenas de quilômetros e por caçarem durante cerca de dez horas em seu *habitat*.[1]

[1] "Wolves in Denali Park and Reserve", National Park Service, Dept. of the Interior, disponível em: <http://www.nps.gov/akso/ParkWise/Students/Reference Library/DENA/WolvesInDenali.htm>.

Os cães naturalmente têm níveis de energia diferentes, e alguns precisam caminhar com mais freqüência que outros. Algumas raças têm genes que as fazem andar uma distância maior, ou de modo mais rápido. Mas todos os cães caminham. Todos os animais viajam. Os peixes precisam nadar, os pássaros precisam voar... e os cães precisam caminhar!

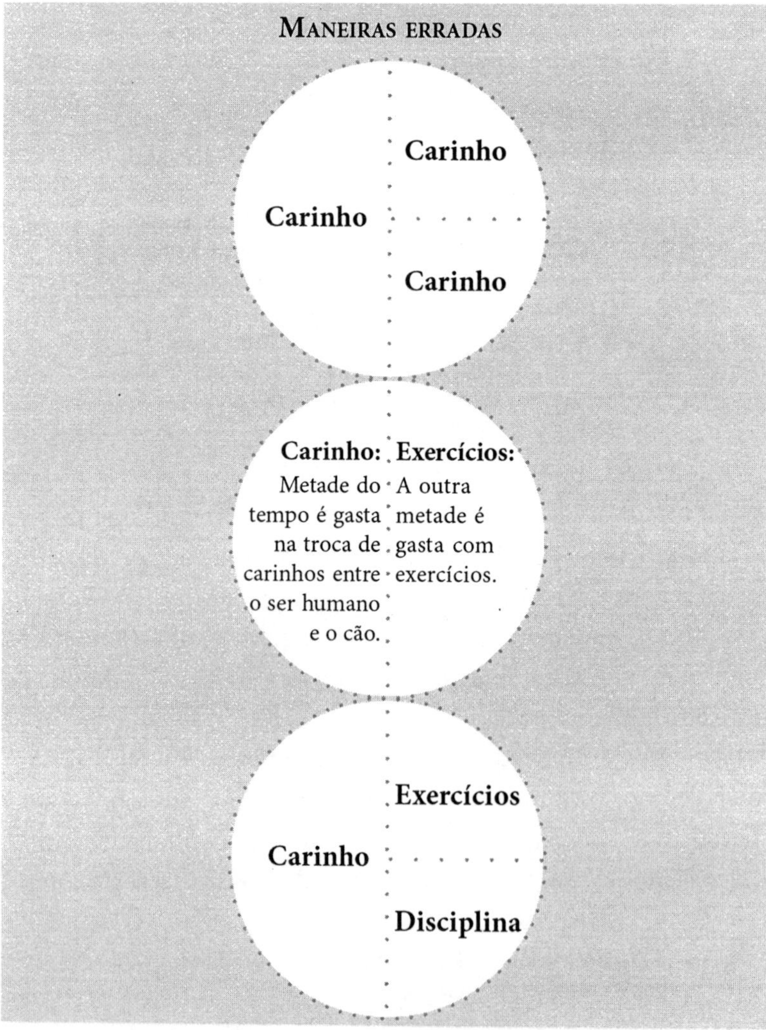

Andar com o seu cão é a ferramenta mais poderosa que posso lhe oferecer para ajudá-lo a se conectar com todos os aspectos da mente dele: animal, cão, raça e nome. Ao dominar a caminhada, você adquire a habilidade de realmente se relacionar com seu cão como o líder da matilha. A caminhada é a base do relacionamento. Também é o momento em que o cão aprende a ser cão. Ele aprende sobre seu ambiente e sobre os outros animais e os seres humanos que vivem ali; aprende sobre os perigos, como carros e outras coisas que devem ser evitadas – bicicletas, *skates*. Ele pode fazer xixi em árvores e conhecer realmente o território.

Os animais precisam se conectar com o mundo e ser parte dele. Não é natural que passem o tempo todo em um local fechado. Outra parte do "paradoxo do poderoso", sobre o qual falei antes – a tendência de as pessoas poderosas terem cães desequilibrados –, é que elas geralmente têm casas enormes, com quintais muito grandes. Elas acreditam que deixar o cachorro passeando pelo quintal é o suficiente para ele se exercitar. Não pense que um quintal grande substitui um passeio com o cão! Mesmo que seja uma área muito grande, ainda assim será, para ele, um enorme canil fechado. Além disso, permitir que o cão simplesmente vague o dia todo pelo quintal não lhe dá o tipo de estrutura que ele adquire quando caminha com o líder de matilha. É essencial que seja estabelecida uma rotina estruturada e regular de caminhada, principalmente para cães com problemas de comportamento e outras questões.

Domine a caminhada

De vez em quando, após eu ter visitado novos clientes e trabalhado com seus cães, eles me dizem: "Pagamos 350 dólares pela consulta e você só vem nos dizer que devemos passear mais com nosso cão?" Em alguns casos, sim, a coisa é simples assim, mas tem a ver com o que chamo de "dominar a caminhada". Existe uma maneira correta de andar com o seu cão e um milhão de modos errados de fazê-lo. Eu diria que 90% das pessoas fazem da maneira errada. Acha que estou exagerando? Aqui vai um exercício para você: vá a um parque de uma cidade grande e observe os donos de cães passeando com seus animais. Observe dez deles. Conte quantos deixam o cão caminhar à frente, com uma coleira comprida. Observe quantos são puxados pelo animal. Some esse número ao de donos que estão em pé, esperando pacientemente enquanto os cães farejam o chão, as árvores e tudo ao redor, completamente alheios à presença da pessoa. Nenhum desses donos soube dominar a caminhada.

Agora, das dez duplas de donos e cães que você viu, em quantas o cachorro caminhava tranqüilo e obediente ao lado ou atrás do dono? Poucas? Agora veja o outro lado da moeda: a parte da cidade onde vivem os sem-teto. Você percebe alguma diferença na linguagem corporal da pessoa e na do animal? Ironicamente, os moradores de rua parecem controlar a arte da dominância ao caminhar com um cão. Eles não são arrastados pelo cachorro; não são os animais que decidem que caminho seguir ou o que fazer. Por quê? Em primeiro lugar, porque eles andam juntos por muitos quilômetros todos os dias. E, em segundo lugar, porque os cães vêem os moradores de rua como líderes de matilha. Essas pessoas não paparicam os animais, não lhes dão presentes, não os acariciam o tempo todo – apesar de os cães sentirem que elas ficam felizes por tê-los por perto. Os donos oferecem liderança – alguém para seguir, que levará os cães à comida, à água e a um local para descansar. A vida deles é simples, porém estruturada. Uma caminhada adequada deve ser somente assim: simples, mas estruturada.

A coleira

Em primeiro lugar, costumo recomendar uma coleira simples e curta. As coleiras que uso não passam de cordas de náilon que moldo no formato de coleiras. É claro que, se você se preocupa com moda, não precisa ser tão simples como eu, mas recomendo – principalmente no caso de cães problemáticos – que você ajuste a coleira de modo que ela fique bem próxima da parte de cima da cabeça do cão, e não ao redor do pescoço. A maioria das coleiras fica na parte mais forte do pescoço do cão, o que permite que ele tenha total controle da cabeça e, às vezes, se for de uma raça forte, total controle sobre você! Se quiser saber como é meu estilo de coleira preferido, observe como os cuidadores de cães de exposição prendem os animais. Você verá o cuidador e o cão correndo juntos ao redor da arena, com a pessoa segurando a coleira com força, deixando-a bem esticada e usando-a para levantar a cabeça do animal com delicadeza. Os cães em exposições parecem muito orgulhosos de si, e, levando em conta a relação entre energia e linguagem corporal, provavelmente é assim que se sentem. Não, eles não sentem orgulho do penteado ou do laço que usam. Não se importam com essas coisas. No mundo dos cães, a cabeça erguida é uma linguagem corporal positiva, um sinal de auto-estima saudável. Ao segurar a coleira nessa posição, você tem o máximo de controle sobre o cão – ele só pode ir aonde você quiser.

Muitas pessoas parecem gostar das coleiras com guias compridas, por acreditarem que os cães precisam de "liberdade" durante o passeio. Haverá um momento para a liberdade posteriormente, mas será o tipo de liberdade que você pode controlar. Não sou a favor das coleiras com guia comprida, exceto para cães tranqüilos e obedientes. Mas a escolha fica a seu critério. Seja qual for sua opção, não permita que seu cão tome o controle da guia e do passeio. Tive uma cliente, Liz, que apareceu no *Dog Whisperer* com sua dálmata, chamada Lola. A cadela ficava descontrolada e pulava na dona sempre que ela pegava a coleira no armário. Então Lola saía pela porta, correndo até onde a guia permitia – às vezes arrancando-a das mãos de Liz. Nem preciso dizer que essa é uma maneira completamente errada de sair de casa com o seu cão.

Saindo de casa

Sim, acredite: existe uma maneira errada e uma certa de sair pela porta. Em primeiro lugar, nunca permita que o cão domine a atividade, como Lola fazia com Liz. Sua liderança tem de começar antes do passeio. Não coloque a coleira no seu cão a menos que ele esteja em um estado calmo e submisso. Quando ele estiver calmo, coloque a coleira nele e caminhe em direção à porta. Não permita que o cão fique muito agitado quando você estiver perto da porta. Mesmo que seja preciso esperar, não saia antes que ele esteja em um estado calmo e submisso. Em seguida, abra a porta. Você sai primeiro. Isso é muito importante. Ao sair antes do seu cão, você está dizendo: "Eu sou o líder da matilha, dentro e fora de casa".

Quando caminhar com o seu cão, certifique-se de que ele esteja ao seu lado ou atrás de você. Quando o cão vai muito à frente do dono ou o puxa, é ele que está levando a pessoa para passear, é ele que está liderando a matilha. Você provavelmente está acostumado a deixar seu cão farejar o chão, cheirar arbustos, árvores e gramados. É natural para o cão. Mas, quando vocês estiverem no "modo de migração", ele não deve parar até que você mande. Imagine se uma matilha precisasse migrar quinze quilômetros e todos os membros fossem parando pelo caminho, cheirando tudo que encontrassem. A matilha nunca chegaria à comida. A caminhada serve, em primeiro lugar, para unir vocês dois e para você mostrar sua liderança; em segundo lugar, serve como exercício; e, em terceiro lugar, para que seu cão possa fazer explorações. Você deve segurar a coleira com firmeza, mas com o braço relaxado, como se estivesse carregando uma maleta. E, mais importante, lembre-se de sua energia calma e assertiva. Pense em Oprah! Pense em Cleópatra! Pense em John Wayne! Lembre-se de uma experiência na qual tenha se sentido forte e no controle. Corrija sua postura. Levante os ombros e projete o peito para frente. Faça o que for possível para ter essa energia calma e assertiva e a projete, por meio da coleira, para o seu cão, que capta todos os sinais que você emite. Muitos dos meus clientes se surpreendem com a maneira como conseguem acalmar seus cães apenas projetando a energia calma e assertiva em uma caminhada. Não é mágica. É a natureza em ação. Os cães naturalmente querem seguir um líder calmo e assertivo. Quando você assume esse papel, eles entram na linha.

Agora que você estabeleceu um ritmo e caminhou sem interrupção por alguns minutos, é hora de deixar seu cão ir à frente – um pouco. Relaxe a tensão na coleira e permita que ele faça xixi, cheire a grama e o que mais quiser fazer. Lembre-se, ele só faz isso quando você permite. É esse o segredo. Ironicamente, quando você dá permissão ao cão para fazer isso, ele provavelmente gasta menos tempo do que gastaria se pudesse fazê-lo por conta própria desde o começo. Quando caminho com minha matilha de trinta a quarenta cães sem coleira pelas montanhas, eles caminham cerca de meia hora ou mais atrás de mim, e depois permito que fiquem à minha frente por cinco minutos. É esse o tipo de "liberdade" de que os cães necessitam: com regras, limites e restrições. Permito que fiquem apenas dez ou doze metros longe de mim. Se passarem dos limites, emito um som que os faz retornar.

Pessoalmente, meu exercício favorito com os cães e que mais esgota a energia deles é patinar. Coloco meus patins *in-line* e patino com dez cães de cada vez pelas ruas de South Los Angeles – com as coleiras, é claro. Às vezes as pessoas me olham de modo estranho, sem acreditar no que estão vendo. Mas os cães adoram. Às vezes eu os puxo, outras eles me puxam, mas sempre estou no controle. No final da sessão de três horas, todos estão cansados e satisfeitos e são calmos e submissos pelo resto do dia!

Esteira

Se você não puder caminhar com seu cão tanto quanto o nível de energia dele exige, uma esteira pode ser uma opção viável. Essa não deve ser a única caminhada dele – lembre-se, ele precisa caminhar *com você* –, mas é uma ótima maneira de aliviar o estresse de um cão que tem muita energia para gastar. Isso se torna um desafio tanto físico quando psicológico para ele. Os cães são como os homens no mundo dos humanos: ambos só conseguem se concentrar em uma coisa de cada vez. E, quando um cão se exercita na esteira, tem de se concentrar. Tem de "entrar no clima".

Muitos dos meus clientes são céticos quanto a colocar o cão na esteira. Temem que o animal se machuque, principalmente se estiver com coleira. É preciso supervisioná-lo no começo, mas qualquer cão consegue fazer isso. O uso de esteiras por cães não é nenhuma novidade. Eu não inventei isso. Em 1576, o doutor Johannes Caius, da Universidade de Cambridge, descreveu uma raça mestiça de cão que chamou de *turnspit* [virador de espeto].[2] Esse cachorro era especificamente treinado para caminhar em

---

[2] John Paul Scott e John L. Fuller, *Genetics and the Social Behavior of the Dog*. Chicago: University of Chicago Press, 1965, p. 46.

esteiras que viravam mecanicamente os espetos em que as pessoas assavam carne. Essa raça está extinta – desde que cresceu a popularidade do forno, com certeza! –, mas, se os cães podiam ser treinados para caminhar em esteiras do século XV ou XVI, qual seria a dificuldade para fazê-los usar as esteiras elétricas do século XXI?

Um dos meus clientes era o presidente de uma empresa de sessenta bilhões de dólares. Seu cão, um forte pastor alemão, estava fora de controle, atacando e mordendo as pessoas, mas o dono entrou em estado de negação a respeito disso. Foi sua esposa quem me chamou. Trabalhei com o marido por várias horas e pude perceber que ele estava completamente na defensiva: não era sua culpa. Era culpa da esposa e do filho. Ele era muito ocupado, não tinha tempo para caminhar com o cão. Eu disse: "Bem, já que você insiste que não pode caminhar com seu cão, pode colocá-lo em uma esteira?" Ele respondeu: "Não. De jeito nenhum. Este cachorro nunca, em hipótese alguma, subirá em uma esteira". Fiquei calado. Quando ele terminou de falar, perguntei: "Está preparado para vê-lo em uma esteira?" Ele começou a ficar bravo comigo. "Estou lhe dizendo, o cão nunca subirá numa esteira." Demorei cinco segundos para colocar o cão na esteira, e ele aprendeu na hora. Ficou à vontade em questão de segundos. Meu cliente ficou sem palavras. Ele não é o tipo de homem que as pessoas desafiam – nem ousam dizer que está errado. Mas eu estava ali para cuidar do bem-estar do cão, e não do ego do dono. Temo que esse homem poderoso não se comprometa a investir esforços para seguir meu conselho – até ser surpreendido por um processo. Infelizmente, essa é uma das únicas razões que fazem meus clientes levarem a sério o comportamento do cão.

Recomendo que, antes de mais nada, você contrate um profissional para lhe ensinar os passos básicos sobre como colocar um cão na esteira. Para o animal, as duas primeiras semanas serão um desafio mental, porque o chão vai se mover, e o instinto dele o manda fugir quando o chão se move! Depois de duas semanas, você verá seu cão arranhando a esteira, implorando que ela seja ligada. Os cães ficam viciados nisso – um tipo saudável de vício. Se você começar com uma velocidade baixa e supervisionar seu cão até que ele se acostume, conseguirá ligar a esteira e ir fazer outras coisas, desde que não seja muito longe. Nunca deixe o animal na esteira por muito tempo sem olhá-lo. Mas uma caminhada em velocidade média, apesar de não substituir o passeio ao ar livre, é uma contribuição segura e saudável para o regime de exercícios do seu cão. Isso é mais importante para cães de raças fortes, que precisam de exercícios extras para ajudar no controle da dominância ou da agressividade.

Mochilas de cães

Outra técnica que uso com cães de energia alta, que precisam de mais exercícios, é a mochila. Adicionar peso ao corpo do cão durante a caminhada – ou mesmo durante os exercícios na esteira – faz com que ele trabalhe mais. Também oferece algo em que ele possa se concentrar, uma tarefa a ser realizada. Os cães adoram tarefas e, como eu já disse, não conseguem fazer mais de uma coisa por vez. Se se concentrarem em andar e carregar, ficarão menos propensos a pensar em correr atrás de todo gato que passa ou em perseguir ciclistas. Você já observou um grupo de escoteiros em uma trilha? Por mais hiperativos que sejam, sempre estão calmos e submissos quando caminham com mochilas nas costas! O uso da mochila quase sempre acalma o cão. É como Prozac – mas sem os efeitos colaterais. Há mochilas de vários formatos e estilos; procure o modelo ideal para o seu cachorro. A carga a ser colocada na mochila deve pesar entre 10%

e 20% do peso do cão, dependendo do nível de energia e das necessidades dele.

As mochilas já operaram verdadeiros milagres em muitos dos cães que reabilitei. Coach era um boxer muito agressivo e defensivo, cujo comportamento estava tão fora de controle que ele seria sacrificado no dia em que fui vê-lo. Apesar de ter feito aulas de obediência, os donos não passeavam com ele, de modo algum. Agora, com caminhadas regulares e novas regras, limites e restrições da família toda, Coach é tão bem-comportado que acompanha o dono de 8 anos até a escola e ainda leva na mochila o material escolar do garoto. Não existe nada mais terapêutico para um cão que lhe dar uma tarefa para executar, e carregar a mochila é uma tarefa. Coach saiu do corredor da morte e se transformou em um cão de companhia exemplar em questão de semanas.

Pessoas que caminham com cães

Por fim, se você realmente não pode sair com o seu cão – por estar machucado, doente ou incapacitado de alguma maneira –, sugiro que contrate um profissional para levá-lo para caminhar. Não é a situação ideal para a formação do elo entre líder e seguidor de matilha que você deseja ter com o seu cão, mas ajuda o animal a aprender a ter um ser humano como líder. Alguns donos comprometidos que conheço saem com seus cães de manhã e à noite e contratam uma pessoa para levá-los para passear ao meio-dia. Nem todos têm dinheiro para fazer isso, mas, se você tiver, estou certo de que é uma solução muito mais barata que o pagamento de todas as taxas e despesas que você teria se por acaso sofresse um processo devido ao mau comportamento do seu cachorro. Você deve checar as referências da pessoa contratada para o serviço e observá-la quando ela sair com o cão. Ela controla o animal? O cão a arrasta, ou demonstra respeito? Tenha certeza de que está satisfeito com o profissional. Seu cão não poderá lhe contar nada quando voltar para casa, por isso você tem de confiar em seu próprio julgamento.

Os cães precisam de tarefas

Desde o início da criação, os cães foram feitos para ter tarefas. Na natureza, a matilha funciona como uma máquina bem lubrificada, e, quando domesticamos os cães, nós os criamos para usar suas habilidades inatas para o trabalho. Começamos a criar as raças de acordo com o melhor uso que pudéssemos fazer delas. Gostamos de ver cães saltando obstáculos. Gostamos de vê-los cavando. Gostamos de ver como determinada raça nos ajuda na caça, e como outra cuida dos rebanhos. Cerca de 95% das raças que existem no mundo hoje eram originalmente trabalhadoras. Menos de 5% foram criadas para ser cães de companhia. Os cães, tanto os selvagens como os domésticos, nasceram para trabalhar. Mas, hoje, nem sempre temos tarefas para permitir aos nossos cães que trabalhem seus talentos especiais.

Por isso, a caminhada é a tarefa mais importante que você pode dar a um cão. Caminhar com você, o dono, é uma atividade tanto física quanto mental para ele. Após terem realizado sua principal forma de exercício, vocês podem fazer outras coisas que gostam de fazer juntos: brincar de pegar, nadar na piscina e fazer as mais animadas brincadeiras. Assim como não deixaria seus filhos em um parque de diversões o dia inteiro, você deve estabelecer um tempo-limite para essas atividades mais frenéticas com o seu cão. Mas, assim como o quintal espaçoso, essas brincadeiras não substituem as caminhadas. Você não pode dispensar a caminhada. Depois de andar, o cão entrará naturalmente em um ritmo de descanso – os seres humanos chamariam esse período de momento de meditação. Quando ele estiver nesse período, você pode sair de casa e fazer suas coisas, sabendo que ele o reconhece como o líder da matilha e que toda aquela energia sem limite dentro dele está sendo canalizada de modo construtivo e adequado.

2. Disciplina

No que se refere a comportamento canino, a palavra *disciplina* tem sido malvista ultimamente. As pessoas que se recusam a dizer essa palavra geralmente definem *disciplina* como *castigo*. Para mim, a palavra tem um sentido completamente diferente. É claro que quer dizer regras, limites e restrições. Mas também tem um sentido muito mais profundo – em relação aos meus cães e também à minha vida.

A disciplina torna você uma pessoa melhor, com mais saúde, faz com que se adapte e o ajuda a ter um relacionamento saudável, porque você é responsável o bastante para fazer o que for melhor para o relacionamento. Isso não quer dizer que eu "disciplino" minha esposa quando lhe digo que ela fez alguma coisa errada – de qualquer forma, na minha casa provavelmente seria o contrário. A disciplina em nosso relacionamento significa que faço parte de um casal, de uma estrutura que me diz quais são meus limites. Como sou disciplinado, cumpro meu compromisso. Quando prometo à minha esposa que farei algo, cumpro minha palavra. Quando ela me promete alguma coisa, cumpre. Todos os dias. Para mim, a disciplina ajuda a me manter em foco, para conseguir alcançar meus objetivos e meus sonhos. Ela me permite manter o equilíbrio, ser uma pessoa de respeito, um ser humano honesto, alguém que quer o melhor para si e para tudo ao redor – desde as árvores até os animais e os seres humanos. Sem disciplina, não é possível ser um bom exemplo. Se você não é uma pessoa disciplinada, torna-se uma energia ou fonte negativa.

Ao gerenciar meu Centro de Psicologia Canina, tenho de ser disciplinado. Preciso ter disciplina ao planejar o meu dia. Preciso manter uma rotina. Preciso me certificar, todos os dias, de que os cães tenham água, comida e exercícios. Preciso cuidar da saúde deles com atenção e levá-los ao veterinário se ficarem doentes. Preciso limpar a sujeira que fazem. Se eu não fosse disciplinado em relação a essas coisas, não apenas meu negócio iria à falência como também meus cães ficariam doentes, correndo o risco de morrer. Disciplina para mim é assunto sério.

A Mãe Natureza reage à disciplina. A disciplina - regras, limites e restrições - existe em todas as espécies do planeta. As abelhas são disciplinadas. As formigas são disciplinadas. Os pássaros são disciplinados. Os golfinhos são muito disciplinados. Se você já viu golfinhos caçando um cardume de anchovas, percebeu que eles trabalham organizadamente, em grupo, para pegar suas presas. Os lobos são disciplinados não apenas quando caçam, mas também quando migram, brincam e comem. Eles não questionam a disciplina. A natureza não a vê como algo negativo. A disciplina está no DNA. Disciplina é sobrevivência.

Pense em como a disciplina existe na sua vida. Se você fosse Lance Armstrong,* disciplina significaria manter a forma, treinar, comer os alimentos certos e correr de bicicleta muitos quilômetros por semana. Se você trabalhasse na rede de cafeterias Starbucks, disciplina significaria chegar ao trabalho no horário correto, memorizar todos os nomes de bebidas, saber a quantidade de ingredientes que deve ser usada em cada receita e manter a educação, mesmo diante de uma longa fila de clientes impacien-

---

* Ciclista norte-americano conhecido por ter vencido o Tour de France sete vezes seguidas. (N. do E.)

tes. Isso é disciplina. Para ter sucesso em algo, você deve colocar a disciplina em prática. Se você faz aulas de *kick boxing*, deve ser disciplinado quando o professor lhe pede para levantar a perna. Ele não está sendo malvado. Ele simplesmente sabe que você não vai conseguir o que pretende se não praticar a disciplina.

É assim que me refiro à disciplina quando trabalho com os cães. É meu trabalho controlar seu horário de acordar e comer e como devem interagir uns com os outros. Eu estabeleço regras, limites e restrições a respeito de aonde ir e com que ritmo, quando descansar, quando fazer xixi, quando correr, quando não correr, quando cavar, onde deitar. Tudo isso faz parte da disciplina. Para mim, a disciplina não é um castigo. São as regras, limites e restrições que existem para o bem dos cães e de meu relacionamento com eles.

Correções

Na natureza, os cães corrigem uns aos outros o tempo todo. As mães corrigem os filhotes constantemente. Os líderes de matilha corrigem os seguidores. As matilhas são cheias de regras, limites e restrições. Existem dezenas de regras de "etiqueta" em uma matilha selvagem, às vezes comunicadas pela energia, às vezes pela linguagem corporal, às vezes por um toque físico ou uma mordida. Uma *correção* – o que algumas pessoas podem chamar de "castigo" – é simplesmente uma conseqüência de um mau comportamento do cão, ou seja, de ele ter quebrado as regras. Sem exceções. Se os membros da matilha falassem, diriam: "Você não está sendo disciplinado como nós; não faz parte da matilha. Vamos lhe dar outra chance. Se fizer de novo, será colocado para fora. Nós o mataremos ou o expulsaremos da matilha". Os cães não se ressentem de outros cães que os corrigem, e não guardam rancor dos que cometem erros. Eles fazem a correção e seguem sua vida. É muito simples e natural para eles.

Na natureza, o estabelecimento de limites não é "cruel", e para isso todos os animais precisam de correção, vez ou outra. Todos nós conhecemos pais que não estabelecem limites. São os filhos *deles* que saem correndo e gritando pelo restaurante, jogando comida para todos os lados e perturbando o jantar. São esses pais que chamam a Supernanny quando a casa vira um caos.

Pense sobre como os seres humanos aprendem. Geralmente precisamos cometer erros e ser corrigidos antes de saber quais são as regras. Se você estiver em outro país e cometer uma infração de trânsito por não conhecer as leis, o guarda vai pará-lo e dizer que você fez algo considerado errado naquele país. Você fica conhecendo a regra, mas mesmo assim ele lhe dá uma multa. Esse é o seu castigo, essa é a sua correção. E provavelmente vai funcionar. Depois de pagar uma multa de 250 dólares, você pode apostar que nunca mais cometerá a mesma infração.

Assim como os seres humanos e todos os outros animais, os cães precisam ser corrigidos quando erram. Gosto da palavra *correção* e não de *castigo*, porque a última tem o sentido usado pelos seres humanos – e muitas pessoas corrigem seus cães como fariam com os filhos. Com um filho, os pais lhe tiram um privilégio – "Você não limpou seu quarto, por isso não vai ao jogo de futebol amanhã" – ou, depois de gritarem com ele, o mandam para o quarto. Os cães não fazem idéia do que você diz quando grita com eles. Tudo que ouvem é sua energia agitada e desequilibrada, que poderá assustá-los ou confundi-los, ou que simplesmente será algo em que eles não prestarão atenção. Os cães não têm um conceito de "amanhã", por isso você não pode ameaçá-los, dizendo que não irão ao parque. Se você mandá-los para outra sala ou deixá-los do lado de fora, certamente não farão a associação entre essa atitude e o mau comportamento. Os cães vivem em um mundo de causa e efeito. Não pensam, apenas *reagem*, por isso precisam ser corrigidos no instante em que o mau comportamento ocorre. Não espere nem mesmo cinco minutos para aplicar a correção, porque é provável que eles já passem para outro estado mental após esse período. Lembre-se: os cães vivem o presente. As correções devem acontecer no presente – e ser repetidas sempre que a regra for quebrada –, para que o cão compreenda que aspectos do comportamento dele não são bem-vindos.

Como devemos corrigir nossos cães também é um assunto muito discutido. Atualmente, existe uma influente escola de pensamento que defende que apenas o reforço positivo e as técnicas de treinamento positivas devem ser aplicadas a cães ou a qualquer animal. Na minha opinião, o reforço positivo é desejável e maravilhoso – quando funciona. Funciona para cães dóceis e para aqueles que criamos desde filhotes. Se você conseguir obter o comportamento desejado com as recompensas, tudo bem. Mas os cães que chegam a mim costumam ser aqueles cujo comportamento está fora de controle. São cães resgatados, que tiveram um passado terrível de abusos, privações e crueldades. Ou são cães que nunca tiveram regras, limites e restrições. E existem aqueles na zona de alerta, sobre os quais já falamos. Esses cães estão desequilibrados demais para serem reabilitados somente com o uso de recompensas.

A violência, por outro lado, nunca é aceitável. Não é aceitável agredir um cão. Não se pode usar o medo para tornar um animal obediente; não funciona. Mostrar liderança forte e definir regras não é a mesma coisa que causar medo e aplicar castigos.

A diferença está em como e quando usar as correções. Nunca se deve corrigir um animal por ira ou frustração. É assim que a violência contra o animal – ou contra a criança, ou contra a esposa – ocorre. Quando você tenta corrigir seu cão em um momento de raiva, está tão fora de controle quanto ele. Você está satisfazendo suas próprias necessidades, e não as do animal – que vai perceber sua energia instável e piorar o comportamento indesejado. Você não pode permitir que o cão determine o seu comportamento. Você tem o papel de ensiná-lo e de mostrar liderança e, se for corrigi-lo, precisa sempre manter seu próprio estado de mente calmo e assertivo. Isso pode ser um desafio – assim como foi para Bill, o dono do buldogue Jordan. Mas talvez tenha sido por isto que esse animal entrou na sua vida: para que vocês dois pudessem aprender uma maneira mais saudável de se comportar.

Assim, quando você corrige o seu cão, o que mais importa são sua energia, seu estado mental e o momento da correção, e não o método, desde que este não seja agressivo. Nunca bata no cão. Um toque rápido e assertivo pode tirar um cachorro de um estado indesejado. Eu curvo os dedos como se fossem garras, para que, quando tocar rapidamente o pescoço ou o queixo do cão, pareçam os dentes de sua mãe ou de outro cachorro. Os cães geralmente corrigem uns aos outros com delicadas mordidas, e o toque é uma das maneiras mais comuns de comunicação. Um toque é muito mais eficaz que uma pancada. Use a técnica menos agressiva possível para tirar um cão de determinado estado mental. Seu objetivo é chamar a atenção dele para você, como o líder da matilha.

A correção pode ser um som, uma palavra, um estalar de dedos – o que funcionar para você e não prejudicar o animal física ou mentalmente. Para mim, funciona imitar o que os cães fazem uns com os outros – contato visual, energia, linguagem corporal e avanço. Lembre-se, os cães sempre lêem sua energia e saberão o que você quer quando ela deixar claro: "Não se pode fazer isso". Quando passeio com um animal na coleira, costumo dar um puxão para desviá-lo de um comportamento inadequado. É um tranco rápido, que não machuca o animal – mas fazer isso no momento certo é vital. Independentemente do método de correção, ele tem de ser aplicado assim que o cão fizer o que não deve fazer. É aí que você precisa conhecer o seu cão. Precisa aprender a ler a linguagem corporal e a energia dele tão bem quanto ele lê as suas.

Por exemplo, todos os cães adoram rolar sobre o corpo de animais mortos. É assim que disfarçam seu cheiro na natureza, quando saem para caçar – e é uma das invenções mais inteligentes da Mãe Natureza, um comportamento profundamente arraigado nos genes do cão. Entretanto, quando os cães vivem conosco, além de não ser agradável o cheiro que vamos sentir se eles rolarem sobre a carniça de animais, não é algo higiênico. Gosto que os cães vivam da maneira mais natural possível, mas, como líder de matilha e responsável por pagar as contas, acredito que tenho o direito de limitar esse aspecto do seu comportamento. Por isso, se vejo um cão cheirando algo incomum, tenho de corrigi-lo o mais rápido possível, antes que ele comece a perseguir o cheiro. Lembre-se de que os cães são muito mais rápidos que nós. Se você não "ler a mente dele" e não aplicar a correção, terá de lhe dar um banho para tirar o cheiro ruim quando voltarem para casa.

O ritual de dominação

Outro aspecto controverso a respeito da correção é o ritual de dominação – o que a maioria dos treinadores e estudiosos do comportamento canino chama de *alpha roll*. É o que os cães ou lobos fazem uns com os outros na natureza: o cão dominante coloca outro animal ao seu lado até que este demonstre submissão. Basicamente, é um lobo pedindo que o outro admita ser inferior. É assim que o líder da matilha mantém a ordem sem ter de usar de violência contra os outros membros. De acordo com alguns estudiosos do comportamento canino, colocar um cão em *alpha roll* é tão cruel quanto atear fogo a ele. Já fui criticado por muitas pessoas adeptas do método de apenas oferecer recompensas positivas, e me chamaram de desumano e bárbaro por usar essa outra técnica. Respeito a opinião dos críticos e concordo que essa técnica só é adequada em alguns casos e deve ser usada por treinadores experientes. Se você acha, assim como eles, que esse método é cruel, então deve considerar meu conselho com isso em mente. Acredito que, quando falamos sobre como lidar com os animais, é sempre uma questão de consciência pessoal.

Na minha opinião, pedir que um cão se submeta a mim, deitando-se de lado no chão, é algo muito natural. Dentro da minha matilha, um olhar severo, um som ou um gesto meu quase sempre fazem com que o cão se submeta – deitado ou sentado –, sem que eu precise tocar nele ou, em alguns casos, sem que tenha de me aproximar. Não é preciso nem dizer que sempre procuro conseguir o comportamento desejado mais com um olhar ou um som do que com um toque. Entretanto, no caso de cães extremamente dominantes, dos que atacam as pessoas e outros cães ou daqueles que brigam entre si, às vezes preciso colocá-los deitados de lado. Um cão dominante demora a se submeter e luta comigo – você não faria o mesmo, se estivesse acostumado a ser sempre o chefe? Isso é natural. Se você sempre se comportou de um jeito, e de repente alguém tenta mudá-lo, você se rebela e diz não. Nesse caso, tenho de segurá-lo com firmeza até que ele deixe de resistir. Comecei a utilizar essa técnica com a minha primeira matilha de rottweilers, e ainda a uso quando necessário. Isso mostra ao cão que eu sou o líder da matilha.

Quando pessoas de fora vêem um cão deitado de lado, com as orelhas abaixadas e os olhos atentos, pensam que está reagindo com medo. Mas essa não é uma posição de medo. (Veja novamente a seção sobre linguagem corporal.) Essa é uma posição de total submissão. No mundo dos cães, é um grande sinal de respeito, de rendição. *Submissão* e *rendição* não têm conotações negativas no mundo dos cães. Não existe algo como *humilhação*, pois um cão não vive no passado. Ele não guarda mágoas. Apesar de vários cães da minha matilha já terem sido obrigados a se submeter a mim após um mau comportamento, eles me amam e me seguem todos os dias. Num lugar com quarenta cães, todos os dias algum deles tem de ser corrigido por uma travessura. Mas as travessuras podem levar a um comportamento perigoso e prejudicial, e, como qualquer bom líder de matilha, é meu dever acabar com elas antes que cheguem longe demais.

Quando falo do ritual de dominação, saiba que, apesar de aplicá-lo a cães agressivos ou muito desequilibrados, meu conselho para qualquer pessoa que não seja um profissional – ou não tenha muita experiência com o comportamento e a agressividade canina – é *nunca* tentar fazer com que um cão se submeta à força. Ao lidar com um cão agressivo ou dominante, uma pessoa despreparada pode ser facilmente atacada, mordida e ferida. É uma coisa séria, pois há risco de morte. Se o seu cão está demonstrando os problemas de comportamento que exigem esse tipo de correção, você deve procurar ajuda profissional. Não deve tentar restabelecer sozinho a disciplina do seu animal, se ele foi longe demais em termos de agressividade e dominância.

Regras, limites e restrições

Você tem "regras domésticas" para seus filhos. Por que não fazer o mesmo com seu cão? Muitos dos meus clientes vêm até mim quando chegaram ao fundo do poço, quando o cão já está dominando a casa, e a família está enfrentando uma situação de caos. Muitos admitem, com vergonha, que estão "se isolando" – não encontram mais os amigos porque sentem medo do que o animal pode fazer quando vir pessoas novas na casa. A vida dessas pessoas se tornou impossível de controlar – quase como se elas tivessem um alcoólatra ou um viciado em drogas na família!

Tive a sorte de conhecer pessoas muito boas na primeira temporada da minha série de TV. Os Francesco sempre foram uma típica família italiana, muito animada e sociável, até que uma minúscula bichon frisé chamada Bella entrou na vida deles. Quando os conheci, eles já tinham parado de convidar os parentes para irem a sua casa, com medo de que Bella os atacasse. Aquela bolinha de pêlos não chegava a pesar cinco quilos, mas controlava a família inteira. Ela latia sem parar quando uma pessoa de fora entrava na casa, e não parava até o visitante ir embora. Os Francesco amavam Bella. Eles a compraram para satisfazer o último desejo de uma querida tia que, antes de morrer, pedira um bichinho de estimação que fizesse companhia à filha e à sobrinha. Bella representava algo espiritual para eles – um ente muito querido que se fora –, por isso tomavam muito cuidado com ela e não definiam regras, limites e restrições. Não percebiam que não estavam fazendo nenhum favor à cadelinha, dando-lhe tantos mimos. Ela era um cão muito desequilibrado, sempre nervoso por querer ser, sem sucesso, líder de matilha. Ela não estava se divertindo. A maioria dos cães sabe que não tem condições de liderar a família. Eles não *querem* liderar a família! Mas, se você não assume esse papel, eles se vêem obrigados a tentar assumi-lo.

É instintivo que um cão crie regras e estrutura para a própria vida. A natureza é repleta de regras e rituais de comportamento. Agora que os cães domésticos vivem conosco, depende de nós assumir esse papel. Depende de você permitir ou proibir certos tipos de comportamento – se o cão pode dormir na mesma cama que você, se ele pode subir nos móveis, se pode cavar no quintal, se pode pedir comida na mesa, enquanto todos comem. Mas existem certos comportamentos que eu recomendo que você sempre bloqueie, pois, se os permitir, pode incentivar a dominância. Ao entrar pela porta, não permita que seu cão pule em você – ou em qualquer pessoa. Não permita que ele chore quando você se afastar. Não permita que fique possessivo com brinquedos. Não permita mordidas. Não permita que ele suba na sua cama para acordá-lo. Não permita que seja agressivo com pessoas ou outros cães e animais. Não permita que ele lata sem parar.

Alguns dos comportamentos que você vai querer bloquear podem ser instintivos. É por isso que você tem de ser muito mais que o dono do cão. Tem de ser o líder da matilha. O líder da matilha controla tanto a genética quanto os instintos do cão. Como dono, você pode controlar apenas o carinho e a genética. Um treinador consegue controlar apenas a genética. Você pode mandar seu cão para a escola de adestramento e ensinar-lhe comandos como "sentado", "parado", "venha" e "em pé". Pode ensiná-lo a pegar um *frisbee* ou a dar a volta completa em um circuito. Isso é genética. Mas só porque uma pessoa estuda em Harvard, não quer dizer que ela será equilibrada quando se formar; e só porque um cão sabe obedecer, não quer dizer que ele é equilibrado. Quando você treina um cão, não tem acesso à sua mente, apenas ao seu condicionamento. E condicionamento não quer dizer nada no mundo dos cães. Eles não se importam com ganhar prêmios. Não querem ser os vencedores no concurso de quem pega mais *frisbees*. Um cão pode seguir comandos, trazer caças abatidas, seguir trilhas ou fazer qualquer coisa que sua raça e sua genética permitam que ele faça. Mas como pode brincar de modo feliz com outros cães, sem brigar? Ele consegue migrar em uma matilha? Consegue fazer uma refeição sem ser muito possessivo com a comida? Isso é instinto. Um líder de matilha controla as duas coisas.

Por exemplo, pode ser que você tenha esta experiência com o seu cão: ele adora brincar com bola. No quintal, vocês podem brincar de pegar o dia todo. É a genética dele. É a raça. Você controla o comportamento dele, mas com a bola. A motivação dele para brincar com você é a bola, porque você está com ela. Mas digamos que o cão perca o interesse pela bola. Seu novo objeto de interesse passa a ser o gato. É o instinto dele chamando. Você consegue controlá-lo agora? Consegue bloquear esse comportamento? Ou, sem a bola, fora do quintal, você consegue controlar o seu cão durante um passeio? Consegue impedi-lo de perseguir os esquilos enquanto vocês caminham? Você não consegue, com uma bola de tênis, impedi-lo de perseguir um esquilo ou um gato. A única maneira de impedir esses comportamentos é com a liderança. A menos que você esteja no controle do lado instintivo do seu cão, não conseguirá prever ou controlar o que ele pode ou não fazer.

Como líder de matilha de trinta a quarenta cães no Centro de Psicologia Canina, geralmente tenho de bloquear comportamentos instintivos para conseguir que o grupo continue bem. É instintivo que um cão monte em outro, mas às vezes tenho de bloquear tal comportamento, pois, se ficar muito intenso, pode acabar em briga. Não permito que os cães briguem por comida ou por uma bola de tênis. Não permito brigas nem agressões – nada disso é tolerado. Os cães maiores não podem perseguir os menores; desse modo, Coco, um pequeno chiuaua, consegue viver em paz, no mesmo grupo, com dois enormes pastores alemães, sete pit bulls e um dobermann. Tenho de impedir os cães maiores de irem atrás dos menores ou daqueles que têm energia instável. É natural que os cães tentem se livrar da energia instável de um membro da matilha, mas tenho de ensinar minha matilha a aceitar os membros mais fracos sem persegui-los. É assim que a matilha ajuda a reabilitar os cães instáveis: mostrando a eles, por meio de *exemplos*, como é a energia equilibrada, calma e submissa. Também impeço os cachorros de abrir buracos no quintal ou rolar sobre as fezes uns dos outros. Essas regras eu mesmo escolhi, por serem adequadas para mim. Como líderes de matilha, temos o direito e a responsabilidade de escolher as regras que vamos adotar.

Entretanto, sempre que bloqueio qualquer comportamento instintivo, devo substituí-lo por outra atividade para a qual redirecionar a energia. Você não pode simplesmente tirar algo e não dar nada em troca. A energia que fez o cão adotar o comportamento indesejado não some porque você o bloqueou! É preciso substituir uma atividade indesejável por outra desejável. É por isso que tenho circuitos com obstáculos, piscinas, esteiras, bolas de tênis e outras distrações para os cães no Centro. É por isso que eles passam de cinco a oito horas, todos os dias, em exercícios vigorosos, e é por isso que transformo todas as atividades – caminhar, tomar banho, comer – em desafios psicológicos para eles. Se você não der ao seu cão meios de extravasar a energia e exercitar a mente, será muito mais difícil para ele seguir as regras e os limites que você estabelecer. Se você for um líder de matilha bom e responsável, oferecerá não apenas a estrutura para a vida dele, mas diversas válvulas de escape para sua energia natural.

3. Carinho

Os cães de hoje podem sentir falta de exercícios e de disciplina, mas certamente têm carinho de sobra. É por isto que tantas pessoas decidem levar um cão para viver com elas: pelo amor maravilhoso e incondicional dos cães. E eles são animais carinhosos. São muito físicos, o toque significa muito para eles, tanto na natureza quanto vivendo conosco. Mas, como eu disse anteriormente, o carinho que não foi conquistado pode ser prejudicial aos cães – principalmente o carinho dado no momento errado.

Quando é o momento certo de dar carinho? Depois de o cão ter se exercitado e se alimentado. Depois que ele muda o comportamento indesejado e passa a fazer o que você quer. Após ter respeitado uma regra ou um comando. Se o seu cachorro pula em você exigindo ser acariciado, provavelmente, por instinto, você obedecerá. Esse comportamento transmite ao cão o sinal de que ele está no controle. Dê carinho apenas a uma mente calma e submissa. Peça que o cachorro se sente e se acalme. Depois disso, acaricie-o. Logo ele perceberá que só existe um comportamento correto para conseguir o que deseja.

Quando é o momento errado de dar carinho? Quando o cão está com medo, ansioso, mostrando-se possessivo, dominante, agressivo, choroso, uivando, latindo – ou desobedecendo a alguma regra. Os donos de Bane e Hera, os cães assassinos de São Francisco, sempre lhes davam carinho depois que eles aterrorizavam pessoas o dia inteiro. Sempre que você dá carinho, reforça o comportamento que estava sendo adotado. Você não pode "amar" um cão pelo comportamento ruim dele, assim como não pode "amar" um criminoso por interromper seus crimes. Quando me casei, minha esposa me deu todo o amor do mundo, mas não foi o amor que me tirou do comportamento que eu tinha. O que fez com que eu mudasse e me tornasse um bom marido e parceiro foi ela ter me dado um ultimato. Ou eu me adaptava, ou ela me abandonaria. Tenho de admitir que não foi o amor que me salvou, e sim regras, limites e restrições!

É possível ver exemplos excelentes de maneiras corretas de dar carinho quando observamos cães que têm tarefas. Pessoas com algum tipo de deficiência que precisam de cães-guias devem compreender que o animal não está ali somente para ser seu amigo. Elas precisam aprender a desenvolver o papel de líderes antes de esperar que o cão acenda luzes, abra portas ou as guie ao ponto de ônibus. Apesar de esses cães terem sido treinados por profissionais, não respeitarão a pessoa deficiente até que ela aprenda a passar a energia calma e assertiva. Se você já viu esses cães em ação, deve ter percebido que eles usam um sinal pendurado na coleira pedindo que as pessoas não os acariciem enquanto trabalham. Por lei, não se pode tocar nesses cães. O carinho criará agitação, e um cão não consegue realizar sua tarefa quando está agitado. Quando a pessoa deficiente o acaricia? Depois que o cão realizou a tarefa, quando estiver em casa, após um longo dia de trabalho. Os cães que ajudam em buscas e os da polícia não recebem carinho enquanto estão trabalhando, a menos que seja imediatamente depois de realizarem uma importante tarefa. Os policiais que trabalham com cães farejadores não brincam com eles o dia todo e esperam que eles calmamente procurem por pacotes com substâncias ilícitas. Ter de trabalhar para receber carinho é algo natural para os cães. Apenas nós, seres humanos, acreditamos que, se não dermos carinho aos nossos cães o tempo todo, estamos privando-os de algo.

Realização

Quando falo em "realizar" os desejos de um cão, uso a palavra com o mesmo sentido usado por nós. Somos felizes? Vivemos todos os dias ao máximo? Estamos cumprindo nosso potencial, exercitando todos os talentos e habilidades com os quais nascemos? O mesmo ocorre com os cães. A vida de um cão será uma vida realizada se ele puder viver confortavelmente em uma matilha, sentindo-se seguro e protegido com a orientação do líder. Um cão se sentirá realizado se fizer exercícios e, de algum modo, perceber que trabalha por alimento e água. Um cão se realiza quando confia ao líder da matilha a tarefa de estabelecer as regras e os limites de sua vida. Os cães adoram rituais, rotina e regularidade. Também adoram novas experiências e a chance de explorar – principalmente quando acreditam ter um laço confiável com seus líderes de matilha.

Os cães nos realizam de diversas maneiras. São nossos companheiros quando nos sentimos sozinhos. Fazem-nos companhia nas caminhadas matinais. Oferecem-nos algo macio e quentinho para abraçar. São nossos relógios, alarmes de segurança e sentinelas. Ganham dinheiro para nós em competições. Não lhes pedimos para fazer essas coisas, mas eles as fazem mesmo assim. Eles não conseguem falar e nos pedir aquilo de que necessitam. Se lhes dermos estas três coisas simples – exercícios, disciplina e carinho, nessa ordem –, conseguiremos agradecer aos nossos cães pelo amor que trazem à nossa vida.

8

“PODEMOS NOS ENTENDER?”

Dicas simples para você viver feliz com seu cachorro

Os seres humanos e os cães vivem juntos, interdependentemente, há milhares de anos. Em países em desenvolvimento e sociedades primitivas, os cães nem sempre são tratados com o nível de amor e de gentileza que lhes é dado em outros lugares. Entretanto, os cães daqueles países e sociedades não demonstram o mesmo tipo de problemas e neuroses encontrado nos animais da sociedade moderna. Como podemos dar amor aos nossos cães sem que eles fiquem com “questões” mal resolvidas? Como podemos ser fortes líderes de matilha sem perder a compaixão e a humanidade que fizeram com que nos aproximássemos dos cães?

São perguntas difíceis de responder. Entretanto, ofereço-lhe algumas dicas interessantes que aprendi com a minha experiência e espero ajudar você e seu cão a viver sem estresse e a estabelecer um laço de profunda união.

Escolhendo o cão

Como já mencionei antes, a escolha do cão certo é um momento muito importante de um longo e pleno relacionamento entre vocês dois. Mas, antes de tomar tal atitude, por favor, pergunte a si mesmo o motivo por que você deseja ter um cachorro. Não precisa dividir suas conclusões com ninguém, mas seja completamente honesto consigo mesmo porque, acredite, você não conseguirá enganar um cão. Você se sente triste e solitário e quer um cão no lugar de um ser humano como companhia? Quer que o cão faça o papel do filho que você não teve ou seja um substituto dos filhos que já cresceram e saíram de casa? Vai comprar um cão porque quer preencher o espaço deixado em seu coração por outro animal que morreu? Quer um cão com cara de bravo para parecer imponente, ou um cãozinho gracioso com quem possa passear no parque e atrair as garotas? Quer que ele seja uma proteção ou uma arma? Se essas são suas principais razões, aproveito para dizer que um cão é um ser vivo, com sentimentos, necessidades e desejos muito diferentes dos seus – mas tão importantes quanto estes. Um cachorro não é um boneco, um brinquedo, um filho, um símbolo de *status*, uma bolsa ou uma arma. Ao escolher um cão com o qual dividir sua vida, você terá a oportunidade incrível de formar um laço forte com um membro de outra espécie. Mas essa oportunidade tem um preço: o preço da responsabilidade.

Conheça a si mesmo antes de conhecer o seu cão. Antes de decidir ser o dono de um cachorro, recomendo que você seja capaz de responder *sim* à primeira parte de cada uma das perguntas a seguir, e *não* às perguntas entre parênteses:

1. Eu me comprometo a passear com o meu cão por pelo menos uma hora e meia *todos os dias*? (Ou somente o deixarei no quintal e concluirei que ele já fez "bastante exercício"?)
2. Estou disposto a aprender como ser um líder de matilha calmo e assertivo com o meu cão? (Ou permitirei que ele faça o que quiser, porque isso é mais fácil?)

3. Estabelecerei regras, restrições e limites claros na minha casa? (Ou permitirei que o cão faça o que quiser, quando quiser?)
4. Vou me comprometer a servir água e alimento a ele? (Ou vou alimentá-lo apenas quando me lembrar?)
5. Darei carinho apenas em momentos adequados e quando o meu cão estiver calmo e submisso? (Ou o abraçarei e beijarei quando ele estiver temeroso, agressivo ou sempre que eu quiser?)
6. Levarei meu cachorro ao veterinário regularmente, sempre que seja necessário lavá-lo, medicá-lo e vaciná-lo? (Ou só o levarei ao veterinário quando ele estiver doente ou ferido?)
7. Vou providenciar para que o meu cão seja socializado e treinado adequadamente, de modo a não representar um risco a outros animais e a seres humanos? (Ou vou torcer para que nada de ruim aconteça e mandar as pessoas saírem de perto?)
8. Limparei a sujeira que meu cachorro fizer sempre que eu passear com ele? (Ou vou pensar que o cocô dele não é problema meu?)
9. Estou disposto a aprender sobre psicologia canina de modo geral e sobre as necessidades específicas da raça do meu cão? (Ou vou tratá-lo como achar que devo?)
10. Comprometo-me a separar uma quantia de dinheiro caso tenha de chamar um profissional para tratar um problema de comportamento do meu cão ou precise levá-lo ao veterinário com urgência? (Ou ele só vai ter o que eu puder dar no momento?)

Você passou? Se a resposta é *sim*, parabéns. Está pronto para ter um cão. Se a resposta é *não*, talvez você queira repensar sua escolha. Existem muitos gatos sem lar por aí, que também precisam de ajuda, e suas necessidades são bem diferentes das dos cães, além de menos complicadas.

Agora está na hora de escolher o cão. Como eu disse anteriormente, a raça é um fator muito importante, e há ótimos guias que você pode consultar para conhecer as centenas de raças de cães que existem. A história dos cães é fascinante, e você nunca se cansará de ler a respeito dela.

Mas, quando é preciso criar um vínculo entre um ser humano e um cão ideal, acredito que a *energia compatível* é muito mais importante que a raça. Ao longo deste livro, você viu exemplos de cães cuja energia era maior que a de seus donos. Jordan, o buldogue, é o primeiro caso que lembramos. Emily, a pit bull, é outro exemplo. Se você for uma pessoa tranqüila e calma, um cão de crista chinês que pula sem parar no canil só causará desilusão ou dor de cabeça, tanto para você quanto para ele. Se você é corredor e gosta de passear com o cão, um buldogue atarracado e lento não é a opção ideal.

Em primeiro lugar, seja honesto a respeito de seu próprio nível de energia. Depois, analise o nível de energia do cão que pretende comprar. E pense bem. Se tiver oportunidade, volte para ver o animal uma segunda vez, num momento diferente do dia, para verificar se houve mudança no comportamento. Muitas pessoas hoje em dia não escolhem exemplares de raças puras vendidas por criadores, mas vão ao abrigo ou a organizações de resgate da região e escolhem entre animais que estavam perdidos ou abandonados. Como muitos cães do meu Centro de Psicologia Canina são resgatados das ruas, aplaudo o altruísmo desse gesto. Mas, com freqüência, as pessoas "se apaixonam" por um cachorro bonitinho do abrigo, ou por um do qual "sentem pena", e decidem, de cara, adotá-lo. Levam o animal para casa sem pensar e acabam enfrentando o mesmo inferno que muitos dos meus clientes relatam sofrer. Isso é injusto com o cão, porque geralmente ele acaba sendo devolvido ao abrigo. E os cães que retornam várias vezes correm um risco maior de ser sacrificados e costumam desenvolver novos tipos de "questões", cada vez mais sérias, por serem aceitos e em seguida rejeitados de novo. Por isso, é importante pensar bem antes de escolher um cão. Se puder, leve um profissional com você na hora de tomar a decisão. E peça a ajuda dessa pessoa para introduzir o cão na sua casa.

Levando o cão para casa

Quando você pega o cão de um criador ou de um abrigo e o leva para casa, lembre-se de que, para ele, você simplesmente o está levando de um canil para outro. Pode ser que você tenha um "canil" de seis milhões de reais e duzentos mil metros quadrados, com catorze banheiros, piscina, banheira de água quente, quarto de hóspedes e quadra de tênis, mas, para o cão, isso não passa de um canil maior. Paredes não são algo natural para os cães. Ponto. Não importa se um arquiteto famoso as desenhou. Assim, você precisa criar para o seu cão a experiência de migração, antes de levá-lo para casa. A primeira coisa que você deve fazer ao chegar em casa é sair para passear pela vizinhança com o animal por bastante tempo – pelo menos durante uma hora. Faça a caminhada mais longa que puder, depois ainda adicione vinte minutos extras. Durante essa caminhada, você estabelecerá um elo de amizade com o cão e também seu papel de líder da matilha. As regras do relacionamento serão estabelecidas nesses primeiros e importantes momentos. Seu cão também sentirá a atmosfera da vizinhança. Você criará para ele a experiência de migrar para um novo lar com seu líder de matilha. E, claro, vai cansá-lo, deixando-o mais manso para poder ser condicionado quando vocês chegarem em casa.

Entrar em casa pela primeira vez é tão importante quanto fazer o primeiro passeio. Você só tem uma chance de causar boa impressão. Se fizer direito, vai livrar-se de uma grande dor de cabeça. Caso contrário, terá de reabilitar seu cão desde o primeiro dia.

Entre na casa antes que o cachorro. Depois, "convide-o" para entrar. Não permita que seu cônjuge ou seus filhos venham correndo para recepcionar o animal e cobri-lo de carinhos. Por mais difícil que seja, eles devem ficar onde estão. Leve o cão até eles, deixe-o aproximar-se e conhecer o cheiro de cada um. Certamente você já lhes terá ensinado a projetar energia calma e assertiva, e é só isso que o cão perceberá no ambiente, certo? Muitas pessoas não resistem à tentação e deixam o animal passear pela casa, então se divertem ao vê-lo cheirar tudo e pegar coisas de todos os cômodos. Se você fizer isso – principalmente se correr atrás dele –, permitirá que ele tome o controle da casa. Nas primeiras duas semanas, é você quem tem de lhe dar "permissão" antes que ele faça qualquer coisa. Na primeira noite, separe um lugar para ele dormir, possivelmente uma casinha ou um canil. Geralmente recomendo que a família espere uma semana ou duas antes de lhe dar carinho, até que ele tenha aprendido as regras da casa e se acostume com sua nova "matilha". Para a maioria das pessoas, esse é um pedido impossível, o que compreendo perfeitamente. Quando o cão estiver quieto, no canil, pronto para dormir, você pode lhe oferecer carinho e iniciar um elo de afeto. Mas lembre-se: não é a energia amorosa, e sim a energia da sua liderança que fará o cão se sentir seguro na sua casa.

No dia seguinte, comece com o que será a rotina do cão. Um longo passeio logo de manhã, depois alimentação, depois carinho, depois descanso. Leve o cão gradualmente para dentro de um cômodo por vez, deixando sempre claro que é *você* que está dando permissão. Estabeleça desde o começo o que está dentro dos limites e o que não está. Não mude as regras, por mais triste que ele pareça. Lembre-se de que a sua firmeza e a sua força durante essa primeira fase são presentes que você está dando a ele – tão importantes quanto o alimento e o abrigo. Você está dando a ele o presente de uma matilha sólida e confiável – na qual ele logo vai relaxar e se tornar calmo e submisso.

As regras da casa

As regras que você estabelece para os cães na sua casa dependem exclusivamente de você. Mas existem algumas regras gerais que aconselho você a seguir para manter intacto seu *status* de líder de matilha:

- Acorde no horário que você quiser, e não quando ele for acordá-lo. Seu cão não é seu despertador. Se ele dorme na sua cama, condicione-o a manter-se quieto quando acordar antes de você e precisar de água ou quiser esticar as pernas. Depois, ele precisa esperar calmamente até que você se levante e dê início às tarefas do dia.

- Comece o dia com poucos toques ou palavras – guarde os carinhos para depois do passeio. A caminhada é o momento em que vocês se aproximam. Se vocês caminham, tente fazer isso por *uma hora* todas as manhãs. Se quiser, pode correr, andar de bicicleta ou de patins. O ideal é que você tenha escolhido um cachorro fisicamente compatível com sua atividade preferida; se for um esporte muito cansativo, a duração pode ser menor. Mas, de modo geral, caminhar rapidamente é o melhor exercício para o ser humano e para o cão – em termos tanto físicos quanto psicológicos. Se você não tiver uma hora inteira para caminhar, coloque uma mochila no cão para que ele aproveite mais o exercício, ou coloque-o numa esteira por meia hora enquanto você se prepara para trabalhar.

- Alimente seu cão calma e silenciosamente, nunca quando ele estiver agitado e pulando. Ele só ganhará comida quando estiver sentado, calmo e submisso. Nunca ganhará alimento como resposta aos latidos. No Centro de Psicologia Canina, o cão mais calmo e sereno sempre come primeiro. Você consegue imaginar como esse incentivo ajuda os outros cães a se acalmar?

- Seu cão não deve implorar por migalhas nem interromper suas refeições. Quando o líder da matilha está comendo, ninguém o interrompe. Você tem de estabelecer a distância que seu cão mantém da mesa e tem de ser firme em relação à regra. Não dê atenção aos olhares pidões – os ancestrais dele nunca lutaram por comida com os líderes da matilha, e isso não pode acontecer.

- Depois dos exercícios e da alimentação, vem o carinho. Instrua seu cão a se colocar numa posição calma e submissa e acaricie-o até a hora de trabalhar. Ao fazer isso, você estará condicionando seu cão a ter uma manhã equilibrada e satisfatória todos os dias da semana!

- Nunca faça muito alarde ao sair de casa – nem ao voltar. Se precisar deixar o cão em casa o dia todo, pratique entrar e sair várias vezes antes de realmente deixá-lo sozinho. Certifique-se de que ele esteja calmo e submisso sempre que você chegar em casa ou sair. Quando ele estiver na posição desejada, não converse, não o toque nem o encare ao sair. Por mais difícil que seja, aja normalmente, passando a ele uma energia calma e assertiva. Se você fez exercícios com o seu cão e não nutriu o medo ou a ansiedade dele, o relógio biológico dele mostrará que está na hora de descansar e ficar quieto por um momento. Não permita choro nem lamento quando sair. Talvez você tenha de esperar alguns minutos até que o cão esteja calmo o suficiente, mas seja paciente e certifique-se de que ele aprendeu a rotina. Não se preocupe: você poderá lhe dar carinho de novo quando voltar para casa.

- Quando chegar em casa, espere para dar carinho. Não incentive a agitação. Troque de roupa, coma alguma coisa e leve o seu cão para sair de novo. Essa caminhada pode ser um pouco mais curta – meia hora –, já que vocês ficarão juntos à noite. Depois do passeio, reforce as regras de horário de alimentação e permita que o seu cão calmo e submisso seja o seu melhor amigo depois do jantar.

- As regras para a hora de dormir devem ser claras e diretas. O cão precisa de um lugar fixo para dormir e não pode escolhê-lo sozinho. Assim que você levá-lo para casa, logo na primeira semana, coloque-o no lugar onde ele deve dormir todas as noites. Isso o deixará acostumado ao novo ambiente e definirá os limites. Depois da primeira semana, coloque um travesseiro ou uma cama para cães. Aquele agora é o lugar de descanso dele. Se quiser que ele durma com você na cama, tudo bem. É natural para os cães dormir com outros membros da matilha – e essa é uma ótima maneira de criar um laço com o seu animal. Mas não permita que ele ocupe um espaço muito grande da cama. Mantenha as regras bem claras. Convide o cão para entrar no quarto, depois suba na cama e faça um sinal para que ele suba também. É você quem escolhe o espaço da cama que ele ocupará. E bons sonhos!

- Todos os seres humanos da casa têm de ser um líder de matilha. Desde o seu bebê até o seu avô, o cão deve respeitar a todos e saber que ele está embaixo na disposição hierárquica. Isso quer dizer que todos os seres humanos da casa devem impor as mesmas regras, os mesmos limites e as mesmas restrições. Converse com eles sobre isso e faça com que todos compreendam. Lembre-se de que atitudes diferentes podem criar um animal instável, que se tornará muito mais difícil de condicionar a longo prazo. Por isso, seu filho de 10 anos não pode dar comida ao cão por baixo da mesa se a regra é não mendigar. Você não pode permitir que o cão pule nos móveis, mas mudar de idéia quando o seu cônjuge estiver em casa. Liderança inconsistente gera um animal inconsistente.

- Reservar um horário para brincadeiras com o cão toda semana é uma ótima maneira de adicionar exercícios físicos à rotina de caminhadas. (Apesar de, agora, você já saber que não pode substituir a caminhada!) Também é uma maneira muito boa de permitir que ele expresse as necessidades especiais e as habilidades de sua raça. Você pode brincar de pegar, nadar na piscina, jogar *frisbee*, correr em uma pista com obstáculos – qualquer coisa que lhe dê prazer ou coloque em prática o talento do seu cão. Mas brinque somente depois de caminhar com ele – a brincadeira não deve ser a primeira atividade do dia – e estabeleça limites rígidos ao tempo gasto. Não permita que o animal o "convença" a brincar por três horas quando você estabeleceu que só gastaria uma hora na atividade.

- Não evite nem adie dar banho no cão só porque ele detesta esse momento. Apesar de ele não se importar com a limpeza, você merece conviver com um animal limpo. Existem muitas maneiras de tornar o banho um momento agradável para vocês dois. Antes de mais nada, permita que o cão se familiarize com a bacia ou com o tanque, de modo relaxado e agradável, antes de tentar lavá-lo. Depois, lembre-se de que na natureza os cães não tomam banho. Eles entram na água ou rolam na lama para se refrescar – é um instinto natural. Aproveite esse instinto e faça um bom período de exercícios pesados com ele – caminhada rápida, corrida, esteira ou patins – antes do banho. Faça com que ele fique cansado e com calor (é mais fácil no verão). Use água morna e agradável. Também pode associar o banho a recompensas, mas não dependa delas. Um cão cansado e relaxado será mais fácil de ser levado ao banho.

- Não permita que o cão se torne possessivo com brinquedos e alimentos. Cuide para que ele saiba que o dono dos brinquedos é você. Faça-o entrar em um estado calmo e submisso antes de alimentá-lo, e não permita que rosne se você se aproximar enquanto ele come.

- Não deixe que seu cão fique latindo sem parar. Se ele late demais, na maior parte das vezes isso se deve a frustração física e psicológica. É um cão desesperado por mais atividade física e por um líder mais proativo. Ele está tentando lhe dizer algo com os latidos. Escute-o!

Cães e crianças

A questão dos cães e das crianças renderia um livro. Por ter crescido entre cães e por criar filhos que convivem com uma matilha, posso afirmar que viver com cães é uma das experiências mais fascinantes e memoráveis na vida de uma criança. Os cães ensinam empatia; ensinam responsabilidade e como cuidar de outro ser; ensinam a criança a entrar em contato com a Mãe Natureza; ensinam equilíbrio; ensinam o que é amor incondicional. Não consigo me imaginar criando Andre e Calvin longe da alegria que os cães proporcionam. Entretanto, temos de lembrar que, quando temos um cão, convidamos um predador carnívoro para viver dentro do nosso lar. Por mais próximos que sejamos dos cachorros, eles são de outra espécie. É nossa responsabilidade, como pais e como donos de cães, proteger os membros mais preciosos da nossa família – nossos filhos – e ter certeza de que eles e os cães saibam coexistir felizes e em segurança.

Mais da metade das mordidas sérias e fatalidades acontecem a crianças de 5 a 9 anos, mas os bebês são os mais vulneráveis. Enquanto escrevo este texto, o estado da Califórnia ainda está abalado com a morte trágica de uma recém-nascida de Glendale, que foi arrancada dos braços da mãe pelo rottweiler do avô.[1] Sempre, nesses casos, os donos entram em estado de negação. "Ele sempre foi um cão dócil", dizem. Depois, geralmente aparece um vizinho dizendo que houve sinais que talvez tenham sido ignorados.

Um cão pode ficar confuso quando vê um bebê pela primeira vez. Os bebês têm cheiro diferente dos adultos, têm aparência diferente, falam e se movem de modo distinto. Para cães com forte instinto de caça, apenas o tamanho e a fragilidade de um bebê já podem provocar um ataque. Além disso, a família sempre se volta mais para o bebê e não dá muita atenção ao animal. Se o cão tiver problemas de dominância ou se for obcecado pelo dono, pode ser que haja problemas.

Famílias que estão esperando um bebê e têm um cão em casa devem conversar honestamente e avaliar a situação. Qual é o temperamento do animal? Como é o relacionamento entre ele e o dono? É necessário avaliar se os pais são líderes de matilha fracos ou se estão deixando o animal mandar na casa, principalmente se for de raça forte ou já tiver demonstrado agressividade. Se o cão está acostumado a receber atenção o tempo todo e é

---

[1] Amanda Covarrubius e Natasha Lee, "Pet Rottweiler Kills Toddler in Glendale", *Los Angeles Times*, 4/8/2005, p. B1.

possessivo, recomendo seriamente que a família encontre um novo lar para ele bem antes da chegada da criança. Por mais importante que os cães sejam para mim, sei que, como pai, nunca colocaria a vida dos meus meninos em risco. Existem algumas situações em que não se devem colocar um cão e uma criança no mesmo ambiente, apesar de, na maioria dos casos, o problema estar no relacionamento do dono com o cão, e não no animal em si. Se forem socializados corretamente, os cães podem viver tranqüilamente em casas com bebês e, além disso, se tornar seus dedicados guardiões.

Mas, se você tem alguma dúvida sobre a sua capacidade de controlar o cão em todas as situações, recomendo que aproveite os nove meses de gestação para encontrar um novo lar para ele. Pode ser doloroso para você, mas a boa notícia é que os cachorros superam as perdas com mais facilidade que as pessoas. Ele pode se sentir desorientado a princípio, quando mudar para uma nova matilha, mas, na natureza, os cães mudam de matilha quando necessário. Se a matilha fica grande demais para os recursos disponíveis no ambiente, eles se separam e formam ou procuram novos grupos. Se você encontrar um bom lar para o seu cão, ele vai se acostumar em um ou dois dias. É algo instintivo para ele se adequar e tentar se adaptar. Ele até vai reconhecê-lo se o vir ou cheirar novamente, mas não vai perder tempo sentindo sua falta. Lembre-se: os cães vivem o momento.

Preparando os cães para o grande acontecimento

Se você não se encaixa nas situações que descrevi nos parágrafos anteriores, há muitas coisas que pode fazer para preparar o seu cão para a chegada do bebê e, mais importante, para condicioná-lo a ver o pequeno como outro líder de matilha. Precisa começar logo. Qualquer fraqueza no relacionamento entre líder e seguidor deve ser corrigida já. Se o seu cachorro for muito dependente, ansioso e tiver problemas com separações, ele pode reagir de modo intenso a uma mudança na estrutura da matilha. Por mais difícil que seja, você precisa começar a dessensibilizar o animal, agindo de modo mais frio com ele, bem antes de o bebê chegar. Não permita que ele o siga enquanto você caminha pela casa nem que durma com você. Estabeleça novas regras a respeito dos móveis onde ele pode subir. Mostre-lhe que o quarto do bebê é local proibido. Pratique caminhar com ele empurrando um carrinho de bebê e sempre o mantendo atrás do carrinho. Incentive e recompense a submissão calma durante essas aulas.

Quando o bebê nascer, traga para casa um cobertor ou uma peça de roupa que tenha o cheiro dele e mostre ao cão. É assim que este "conhecerá" o bebê antes que ele chegue em casa. Não coloque a peça no focinho do animal para que cheire. Primeiro estabeleça limites. Faça-o farejar do outro lado do cômodo e o instrua a chegar mais perto, mas somente até a distância que você permitirá que ele mantenha do bebê. (Isso não é algo incomum – lembre-se de que, na natureza, a cadela inicialmente mantém os filhotes longe dos outros membros da matilha.) O cão deve sempre se manter calmo e submisso ao sentir o cheiro do bebê. Corrija qualquer comportamento ansioso ou obcecado. Recompense apenas o comportamento calmo e submisso.

Quando o bebê chegar, não apresente o cão a ele fora de casa. Espere o bebê estar do lado de dentro e convide o cão para entrar depois. Deixe claro que a casa é do bebê, e não do cão. Apresente-o ao bebê aos poucos. Comece deixando que ele conheça o pequeno do outro lado do cômodo. Depois, pouco a pouco, deixe-o se aproximar. Sua energia calma e assertiva é essencial. Quando Ilusion se sentiu à vontade para que eu levasse meus filhos para perto dos cães, eu caminhava com eles no colo no meio da matilha, projetando minha energia calma e assertiva. Segurava meus filhos com orgulho, comunicando à matilha que aqueles bebês eram parte de *mim – o líder da matilha.* Eles tinham de ser respeitados, assim como o líder era respeitado. Meus filhos aprenderam a se comportar entre os cães me observando. Viam como eu interagia com os animais e copiavam meu jeito de ser.

Ao mesmo tempo em que você tem de apresentar o cão ao seu filho, você tem de ensinar a criança, conforme ela cresce, a respeitar o animal e continuar sendo o líder da matilha. É por isso que a supervisão é tão importante. Os cães não devem ficar perto de crianças que estão aprendendo a andar e são cheias de energia. As crianças precisam aprender a não puxar as orelhas e o rabo do cachorro, assim como não devem brincar de cabo-de-guerra com ele. Se a criança começar a ficar muito bruta com o cão, você deve segurá-la, redirecioná-la e mostrar uma nova maneira de tocar o animal. Quanto mais você repetir a lição, mais ela vai aprender a maneira correta de se aproximar do cão. Com o tempo, o cachorro vai perceber que ela não é perigosa. Ensinei Andre e Calvin, desde muito cedo, a reconhecer sinais da linguagem corporal do cão para saber quando era e quando não era o momento correto de tocá-lo. Fiz com que eles me ajudassem a alimentar os cães e ensinei que nunca deveriam fazer isso se os animais não estivessem em um estado calmo e submisso. Ensine ao seu filho a maneira correta de se aproximar de um cão desconhecido – sem falar, sem tocar, sem olhar para o animal, até que este esteja à vontade com a sua presença. Assim que os meus filhos aprenderam a andar, começaram a passear pela matilha, liderando. Faça como eu. Condicione seus filhos a serem líderes de matilha desde o nascimento. Uma geração de cães agradecerá!

Visitantes

Como tratar os visitantes em sua casa é uma questão complicada para os cães. Muitas pessoas querem que os animais sejam, se não seus protetores, ao menos seu sistema de alarme. Se um estranho entra na propriedade à noite, os donos naturalmente querem que seus cães os avisem. Ao mesmo tempo, esperam que os animais sejam dóceis e obedientes quando os amigos e o carteiro chegam. É difícil conseguir as duas coisas. Como o cão vai saber a diferença, se a pessoa está do outro lado da porta? É obrigação do dono ensinar ao cão boas maneiras à porta e reforçar esse comportamento quando necessário.

Quando um novo visitante chegar, faça com que seu cão pare de latir no mesmo instante e fique em posição calma e submissa enquanto a pessoa entra. Não permita que ele pule nela. Ao mesmo tempo, explique a ela que não deve cumprimentar o animal da maneira tradicional – e errada. Nada de abaixar-se e acariciá-lo. Seus convidados precisam aprender as regras que ensino no Centro de Psicologia Canina: no início, nada de toques, conversa ou contato visual. O cão precisa se acostumar com o cheiro da pessoa *de modo educado* antes de ela lhe fazer carinho. O animal tem capacidade de se lembrar de muitos cheiros, por isso, depois de uma ou duas visitas, seu convidado será familiar. Mas, com toda pessoa nova que chegar, repita esse ritual.

O carteiro também pode ser um problema para o cão. Como este vive num mundo de causa e efeito, se se acostumar a latir quando o carteiro chegar, sua mente vai funcionar da seguinte maneira: "O carteiro chegou. Eu lati e rosnei. O carteiro foi embora. Eu o assustei". Em alguns cães dominantes e agressivos, isso traz à tona o instinto de predadores e os incita a agredir o carteiro. Para você, o dono, isso pode significar ter de buscar as correspondências no correio ou, na pior das hipóteses, enfrentar um processo. O correio zela muito pela saúde dos carteiros. No caso de um cão mostrado no *Dog Whisperer*, não apenas a dona do cão violento, mas o bairro todo perdeu o privilégio de ter as correspondências entregues em casa! (Como você pode imaginar, isso não tornou a dona do cão muito popular na vizinhança...) No programa, lidamos com essa questão impedindo o cão de latir quando um estranho se aproximava do portão. Quando alcançamos sucesso nessa área, eu me vesti com o uniforme de carteiro e me aproximei várias vezes do portão, até o cão perder a vontade de latir para mim. Foi uma troca para a dona: ela abriu mão de seu "alarme" para ter as correspondências entregues em casa. Lembre-se, sempre é possível comprar um alarme para colocar no lugar do seu cão. Mas não há como substituir o carteiro!

Indo ao *pet shop* e ao veterinário

Sempre que colocamos um cão em uma situação nova e incomum, é importante que o preparemos para o ambiente no qual vai entrar. A maioria das pessoas leva biscoitos para tentar acalmar o animal, mas, se ele já estiver em estado de pânico, isso provavelmente não vai dar certo. Lembre-se: os cães não sabem o que é um tosador. Não compreendem por que precisam passar por consultas de rotina com o veterinário. Poucos cães não protestam quando estão sendo tosados ou são levados ao veterinário pela primeira vez. Poucos não ficam tensos ou nervosos. São situações bastante incomuns para eles. Isso faz com que o tosador e o veterinário tenham de desempenhar o papel de observadores do comportamento canino, além de executar a tarefa que se espera deles – e alguns não são capazes de fazer isso, pois não é seu trabalho. Depende de você ajudar a tornar a experiência mais confortável para o seu cão.

Antes de levar seu cachorro a uma consulta, é importante que você o segure e toque da mesma maneira que o veterinário fará. Isso deve ser feito de forma gradual, mas regular, bem antes da consulta. O cérebro precisa ficar condicionado aos toques em algumas áreas nas quais o cão normalmente não é tocado. Quase todos nós tocamos nossos cães apenas quando lhes damos carinho, na cabeça, nas costas e na barriga. Um médico vai abrir a boca do cachorro, vai checar os olhos e o traseiro. Você pode aumentar as chances de bom comportamento se "brincar de médico" em casa com o cão. Envolva todas as pessoas nessa tarefa, até mesmo as crianças. Faça alguém usar o mesmo tipo de avental que o veterinário usa. Deixe que o cão se familiarize com algumas das ferramentas usadas pelo médico – mesmo que você utilize apenas versões de brinquedo. Acostume-o ao cheiro do álcool. Você pode fazer massagem nele ou lhe dar recompensas durante as sessões, para criar uma associação positiva.

É a mesma coisa quando o assunto é o tosador. Os únicos cães que se sentem à vontade com os tosadores são os da linhagem dos cães de exposição. De alguma forma, eles parecem herdar a calma de seus pais com relação ao processo de tosa. Para os outros cães, isso pode ser um pesadelo. Você se lembra de Josh, o "Gremlin Enfeitado"? Muitos dos meus clientes têm mais medo de levar o cão ao tosador que de ir ao dentista!

Como sou uma pessoa muito competitiva, sempre adorei desafios. Para mim, é emocionante trabalhar com um cão instável e tentar ajudá-lo a se tornar equilibrado. Por isso, quando trabalhava como tosador em San Diego, adorava quando tinha de cuidar de cães como Josh. Não é diferente de um peão que tem de domar um cavalo ou um touro arredio. Nós vibramos com isso. Não queremos prejudicar os animais, queremos apenas domá-los. Eu via uma oportunidade de domar aqueles cães, enquanto fazia com que ficassem bonitos por fora. Se o cão fosse fácil, ótimo, eu ia mais rápido. Mas um cão difícil não era algo negativo para mim. É claro que os animais sentiam minha energia positiva, por isso eu conseguia tornar a situação algo bem agradável para eles. Mas compreendo por que alguns tosadores morrem de medo desses cães. Eles detestam ter de cuidar de um cão que pode mordê-los e inconscientemente culpam o animal. O cão percebe a energia negativa, o que aumenta sua ansiedade. A verdade é que os cães agem assim porque os donos não os preparam para a situação.

Da mesma forma que quando vai prepará-lo para o veterinário, você pode estabelecer cenários para condicionar o seu cão a se tornar gradualmente mais confortável no *pet shop*. Compre algumas tesouras e máquinas de tosa e experimente usá-las no cão para mudar a reação dele com antecedência. Se ele estiver nervoso, espere até que sinta fome. Alimente-o e, enquanto ele estiver comendo, procure ficar perto e mexer na tesoura e na máquina de tosa. Faça isso várias vezes. Ele vai começar a associar essas ferramentas com a hora de comer, o que tornará a experiência no *pet shop* mais agradável.

O mais importante – e não me canso de repetir –, antes de levar o seu cão ao veterinário ou ao tosador, ou antes que algum profissional venha buscá-lo, é *levá-lo para um passeio longo e vigoroso*. O ideal seria você passear com ele antes de sair e caminhar de novo ao chegar ao estabelecimento – um passeio mais curto, como uma volta no quarteirão. Se o cão chegar a um novo local após se exercitar, terá menos energia acumulada e será mais receptivo a uma situação nova que talvez possa amedrontá-lo. Se ele associar a ida a um lugar diferente a mais tempo para ficar com você, verá algo de positivo. Adicionar biscoitos de que ele goste pode ajudar também, mas nenhum biscoito do mundo será melhor para ele que caminhar mais tempo com seu líder de matilha!

Indo ao parque

Os parques onde os cães podem entrar – principalmente aqueles que permitem que os animais fiquem sem coleira – dividem as opiniões. O parque pode ser usado para ajudar o seu cão a manter ou adquirir habilidades de sociabilidade e dar a ele um momento para correr e brincar com outros animais de sua espécie. Mas é tudo que você deve esperar ao levá-lo a um parque. Esse *não* é um lugar adequado para o cachorro extravasar a energia acumulada e *nunca* deve ser usado como um substituto da caminhada, porque, sempre que colocamos em um mesmo ambiente cães que não se conhecem, aumentamos a possibilidade de conflitos. O "poder da matilha" é forte em qualquer cão – mas lembre-se: no Centro de Psicologia Canina, às vezes são necessárias várias semanas para conseguir levar um cão a fazer parte da matilha, e a minha matilha é formada por cães equilibrados e estáveis! Você realmente acredita que os outros cães do parque são equilibrados e estáveis? E você está absolutamente certo de que o seu cão é assim? Um parque para cães é um ambiente fechado. E, sempre que colocarmos muitos cães em um lugar só, veremos confusão.

Esta situação lhe parece familiar? Você está cansado. Teve um dia difícil. Não sente vontade de passear com o seu cão. Por isso, coloca-o no carro. Ele está ansioso. Você diz: "Tudo bem, Rex! Vamos ao parque!" O cão capta sua energia e seus sinais. Ele reconhece odores e lugares e percebe para onde estão indo. Começa a se animar e pula sem parar dentro do carro. Você pensa: "Puxa! Ele está tão feliz porque está indo ao parque!" Não, não se trata de felicidade. É ansiedade. E você já deveria saber que, para um cão, agitação não é a mesma coisa que felicidade. Geralmente significa energia frustrada e acumulada. O que você está fazendo? Está levando um cão ansioso e frustrado a um parque. Dependendo do animal, essa pode ser a receita de um desastre.

Quando um cão com energia agitada, frustrada, ansiosa ou dominante chega a um parque, os cães que estão ali a sentem imediatamente. Essa energia é interpretada como instável, e lembre-se: os cães não nutrem a instabilidade. Assim, os outros cães vão ou se aproximar dele, ou desafiá-lo, ou fugir, porque ele está cheio de energia explosiva e negativa. Ver os outros cães se afastarem pode ativar no cão instável o instinto predador, porque essa é a maneira mais simples de liberar sua frustração. Um cão nesse estado pode causar problemas, atacar outro cão, e todos os donos presentes vão culpá-lo. Alguns donos vão começar a prestar atenção no horário em que esse cão costuma ir ao parque e vão passar a levar seus cachorros para lá meia hora mais cedo ou mais tarde. Esses donos enviarão energia negativa ao cão, que a captará. Assim, o parque deixará de ser uma experiência positiva para ele.

É claro que você já sabe qual é a minha recomendação sobre o que fazer antes de levar seu cão ao parque, não é? Passeie com ele! Caminhe por pelo menos trinta minutos perto de casa; depois, quando tiver estacionado o carro perto do parque, caminhe com ele pela vizinhança. Se for um cão de alta energia, coloque uma mochila nele. Lembre-se de que ele deve usar o parque para praticar suas habilidades sociais, e não para substituir os exercícios regulares. Faça-o gastar o máximo de energia que puder, depois o leve ao parque quando ele estiver quase sem energia. Assim, ao chegar lá, ele estará relaxado, mas ainda vai interagir com os outros cães, de maneira mais saudável.

Compare essa situação a um encontro com um amigo num café. Você não vai se sentar e conversar quando estiver pronto para ir dançar ou correr pela vizinhança, não é? Você vai a um café depois da academia, depois do trabalho, depois de sair à noite, quando estiver calmo e pronto para relaxar. É aí que você vai se relacionar com o seu amigo em um nível social saudável. Com os cães, acontece o mesmo. Quanto mais calmos estiverem os cães no parque, menos perseguirão uns aos outros. Quanto menos perseguirem uns aos outros, menos brigarão.

Não relaxe no parque!

Geralmente, o comportamento do dono do cão em um parque mostra se ele está preparado para esse tipo de atividade. Ele chega lá, solta o cão e passa todo o tempo restante distraído, parado, conversando com outras pessoas. O dono vê esse momento como uma chance de relaxar da pressão de ter um cão – relaxar um pouco da sua tarefa. Mas lembre-se de que ser líder de matilha é uma tarefa contínua. Esse tipo de experiência não é bom para o cão, porque ele se sente sozinho, sem a orientação do líder. Isso não quer dizer que você tem de ficar no meio da matilha, ocupado com seu animal o tempo todo. Mas quer dizer que você deve se manter alerta, não ficar parado em um só lugar, e sim mover-se sem parar pelo parque e se conectar ao seu cão por meio de uma voz calma e assertiva, de contato visual e de energia. Você deve conhecer a linguagem corporal do seu cão e chamar a atenção dele se perceber que ele vai confrontar outro cachorro. Se ele se comportar mal, se for desafiado ou perseguido por outro animal, não reaja com energia leve. Não alimente o comportamento dominante, amedrontado, assustado ou agressivo confortando-o ou acariciando-o. Não permita que ele se esconda entre suas pernas, com medo. Sempre limpe a sujeira que ele fizer e nunca o deixe sem supervisão entre outros cães. Se você for um bom líder de matilha, seu cão vai sempre depender de você para saber como se comportar. Não o decepcione!

Lembre-se de que o seu cão tem quatro escolhas ao interagir com outros cachorros: brigar, fugir, evitar ou submeter-se. Se ele evitar os outros cachorros, não quer dizer que é anti-social. Ao andar no centro da cidade ao meio-dia, você não diz "oi" a todas as pessoas que vê, diz? Claro que não. Você ignora a maioria delas. E não se apresenta a estranhos no elevador. Para um cão, ignorar também faz parte do comportamento social. Um cão equilibrado e saudável sabe como evitar outros cães para fugir de conflitos e manter sua disposição estável.

Não existem números concretos a respeito de brigas, ferimentos ou mortes nos parques que permitem a entrada de cães, mas já ocorreram incidentes suficientes para que muitas comunidades tentassem banir completamente os cães dos parques. Os cães que melhor se comportam costumam ser aqueles que foram habituados a esses lugares desde cedo. É claro que existem cães que não devem ser levados a um parque, e ponto. Os dominantes e agressivos não devem ser levados, nem os nervosos e amedrontados. (Entretanto, isso não vai ajudá-los a superar o medo.) O medo é um sinal para qualquer cão dominante no parque atacar o seu cachorro. Sob nenhuma hipótese você deve levar um cão doente ao parque – não apenas para não espalhar a doença, mas também para que cães dominantes não percebam a fraqueza dele. Nunca leve mais de três cães por vez ao parque, e leve mais de um somente quando tiver certeza de como eles se comportam. Cadelas no cio podem causar conflitos, assim como levar alimentos – a presença de comida pode causar brigas.

Em qualquer parque, não há como saber o temperamento de todos os cães que aparecem. Para socializar o seu cão, existem alternativas muito mais seguras. Você pode encontrar amigos que passeiem com cães e caminhar junto com eles – a melhor maneira de fazer com que os cães conheçam uns aos outros como uma matilha. Depois, deixe os cães se conhecerem em situações mais relaxantes, observando o comportamento e a reação de cada um. Mantenha-se envolvido e corrija seu cão conforme necessário, incentivando seus amigos a fazer o mesmo. Os cães da matilha aprenderão as regras rapidamente. Lembre-se: um grupo de lobos geralmente é formado apenas de cinco a oito animais. Você não precisa estar entre dez ou vinte cães para que seu animal aproveite a companhia dos semelhantes e se beneficie dela.

Viagens

Qualquer dono de cão sabe os perigos de levá-lo para viajar. Quando o colocamos em um carro ou numa gaiola de transporte para aviões, trens ou barcos, ele pode ficar tonto, vomitar e até babar ou ficar ofegante o tempo inteiro. Alguns cães ficam agitados demais e não se acalmam. Outros se sentem presos, o que acaba gerando agressividade por medo ou defesa. Eles rosnam, mordem e não param de latir ou chorar. A razão de esses cães sofrerem quando chega a hora de viajar é porque eles não estavam em um estado calmo e submisso antes de entrarem no carro ou na gaiola. Precisamos condicioná-los a associar viagem com relaxamento.

Mais uma vez, sempre que vamos expor nossos cães a algo que não é natural para eles – incluindo viajar de carro ou de avião –, o melhor a fazer é prepará-los com antecedência. Naturalmente, os exercícios são a primeira parte. Antes de colocar o animal no carro ou na gaiola, é preciso passear com ele. Sim, estou dizendo novamente que você deve sair com o seu animal para outra caminhada longa e vigorosa. Se a viagem for muito demorada, faça-o caminhar com uma mochila nas costas ou acrescente meia hora de caminhada na esteira. Seu objetivo é fazer com que ele esteja bem cansado no momento de começar a viagem. Ele vai estar em seu estado natural de descanso, e fará sentido ficar quieto por um período maior.

É claro que alguns cães adoram passear de carro, porque o dono permite que eles fiquem com a cabeça para fora da janela. Quando o cão coloca o focinho para fora do carro, fica muito mais animado que um ser humano ficaria em um cinema 3-D, vendo um filme em realidade virtual, com cheiros e sensações. Tudo por causa dos odores – centenas de odores diferentes, familiares e não-familiares, que chegam ao focinho do cão a todo momento. Se houver cinco carros na sua frente, ele vai sentir o odor de cada um deles. Se passar por uma fazenda, vai sentir o cheiro de cada animal presente ali. Os cães adoram essa experiência de entretenimento, satisfação e estímulo psicológico. Mas não recomendo que você permita isso, porque é muito perigoso, fisicamente, para o animal. Um pedregulho pode entrar no olho dele, e o vento pode lhe causar problemas de ouvido. Por outro lado, estímulos demais podem deixá-lo muito ansioso. Em vez disso, quando você tiver certeza de que o seu cão está em estado de descanso no carro, abra um pouco a janela, mas sem oferecer espaço suficiente para que ele coloque a cabeça para fora. Apesar de o ar não ser tão concentrado desse modo, ainda assim o cachorro conseguirá distinguir muitos odores fascinantes, sem nenhum risco para a saúde.

Mudanças

Tenho muitos clientes que me procuram pela primeira vez depois de uma grande mudança. Eles dizem: "Meu cão era perfeito antes de chegarmos à casa nova. Agora adotou um comportamento indesejado. Está diferente". Esses clientes não percebem como contribuíram para o surgimento desses sintomas. Vou explicar como isso pode ser evitado.

Na natureza, os cães se mudam o tempo todo. Não há nada de que gostem mais que explorar um novo ambiente. Mas o modo como nós, humanos, nos mudamos não é natural para eles. Quando estamos nos preparando para mudar de casa ou de apartamento, o cão não sabe que vamos migrar para um novo território, mas ele sempre percebe que algo muito diferente está para acontecer. Primeiro, percebe que tudo com que estava familiarizado lhe é tirado. Depois, sente todas as energias conflitantes que colocamos nesse ato de mudança – o entusiasmo, a tensão, o estresse, a tristeza. Quando nos sentimos tensos ao mudar de casa, uma energia fraca e negativa é passada aos cães. Enquanto andamos dentro da casa, pensando que vamos sentir saudades dos vizinhos e lembrando que nossos filhos cresceram ali, o cão só percebe que alguma coisa muito ruim está acontecendo. Depois disso o colocamos num carro, num avião ou num compartimento fechado. Ele não sabe que estamos indo para Ohio, Nova York ou Michigan. Quando chegamos à casa nova e vazia, nós o soltamos e esperamos que se adapte antes de nós mesmos! Ele já está ansioso por causa da mudança, captando nossas emoções e associando-as a coisas traumáticas. É por isso que começa a adotar comportamentos nunca antes vistos. *Os cães não são peças de mobília!* Não podemos simplesmente encaixotá-los e levá-los de um lado para outro esperando que não se deixem afetar por isso.

Se você vive num bairro próximo do local para onde vai se mudar, sugiro que leve o seu cão para andar por lá duas ou três vezes antes da mudança – se possível, que saia da casa antiga, vá até a nova e volte. Os cães são muito sensíveis a novos ambientes. Assim, quando o dia da mudança chegar, já perceberão que conhecem o local. Se você mora longe, siga os procedimentos que citei para viajar com o seu cão. Depois, quando chegarem à casa nova, adivinhe o que vocês vão fazer? Mesmo que você esteja passando por um momento de dor ou de transformação emocional, leve-o para caminhar assim que chegarem à nova moradia. Esse passeio não serve apenas para cansá-lo, mas também para ajustá-lo ao ambiente desconhecido. A caminhada deve durar *mais de uma hora*. Apesar de ser impossível para a maioria das pessoas, eu recomendaria que durasse três horas ou mais. O passeio vai fazer bem ao animal depois da longa viagem e vai ajudá-lo a livrar-se do estresse de um dia de mudança. Talvez você possa dividir com os outros membros da família as tarefas de organização e de passeio com o cão nesse primeiro dia. Mas, seja lá o que fizer, considere esse passeio um marco na vida do cão. Esse passeio o fará compreender que vocês migraram para um novo território e tornará essa transição um acontecimento mais natural.

Depois de caminhar por mais de uma hora, seu cão deve estar cansado e pronto para relaxar quando vocês entrarem na casa nova. Alimente-o e mostre-lhe a casa, um cômodo por vez. Não permita que ele passeie pela casa sozinho. Muitos dos meus clientes cometeram esse erro simplesmente porque estavam ocupados demais tirando os objetos das caixas e não tinham tempo para dar atenção ao cão. Viram que o animal queria explorar o território e permitiram que fizesse isso – antes de eles mesmos explorarem a casa. Esses donos erraram na disciplina.

Lembre-se de que a casa não é dele, é sua. Se a explorar antes de você, ele se tornará o dominante no lugar. Sugiro que você lhe mostre um dos cômodos – por exemplo, a cozinha – e não permita que saia dali enquanto você não terminar as tarefas. Se ele já tiver caminhado, estará em estado de descanso e ficará contente em esperar por você. Quando puder, leve-o de cômodo em cômodo, convidando-o para entrar em cada um deles, assim como fez ao chegar à casa. Ele vai aprender que esse é o novo espaço no qual viverão juntos, e que você continua a ser o líder da matilha.

Incluindo um novo cão na matilha

Às vezes vejo clientes que tentam resolver um problema de comportamento – por exemplo, a ansiedade no momento da separação – levando outro cão para dentro de casa. Apesar das boas intenções, isso pode ser como jogar um fósforo aceso em um tanque de gasolina. Se você estiver lidando com dois cães, pelo menos um deles tem de ser equilibrado. Se forem vários cães, todos os membros da matilha original têm de ser equilibrados. Não pode haver uma apresentação bem-sucedida entre cães quando mais de um deles é desequilibrado. Mesmo que a sua "matilha" seja formada apenas por você e por um cão, apresentar um novo animal à matilha deve ser um processo muito bem pensado, que leve em consideração o equilíbrio e a energia dele – e de você também.

Você se lembra de Scarlett, a buldogue francesa do Centro? Ela teve o azar de ser um cão instável colocado numa matilha instável na casa de seus donos. Quando Scarlett chegou, todos os cães que já estavam na matilha eram instáveis e viviam sem regras, limites e restrições. Um cão tinha medo de tudo, e o outro era agressivo e possessivo. Até mesmo os seres humanos da casa eram instáveis e indisciplinados. Scarlett é uma cadela muito sensível. Assim que chegou, captou a energia de instabilidade, e sua reação foi lutar, atacar a energia negativa. Ela também era a cadela mais jovem, mais atlética e com mais energia. Não aceitaria ser controlada por outros cães instáveis. Infelizmente, os donos já tinham criado vínculos afetivos com os cães que viviam ali, por isso estes tinham mais direitos. Scarlett era a recém-chegada e, por ser a mais nova, levava a culpa por tudo. Foi por isso que, ao ver que seus donos não mudariam, tive de tirá-la daquela situação.

Assim como você deve fazer quando escolhe um cão para si mesmo, escolha um cão com energia compatível à do animal que já vive na sua casa. Jamais aceite um segundo animal cujo nível de energia seja mais alto que o do primeiro! Da mesma forma que num namoro, os cães não precisam gostar das mesmas coisas para se relacionarem bem, mas precisam ter o mesmo temperamento. A maioria das pessoas favorece o cão que está há mais tempo com elas. Usam esse favoritismo logo no começo, por se sentirem culpadas por trazerem um "concorrente" para conviver com o primeiro cão. Não querem que este sinta "ciúmes". Geralmente interpretamos como "ciúmes" o período natural de decisão acerca de quem será o mais dominante e quem será o mais submisso na matilha. Talvez os cães sintam algo parecido com o nosso sentimento de ciúme. Mas, com mais freqüência, somos nós que escrevemos o roteiro da história. A razão por trás dos "ciúmes" é o fato de o novo cão ter trazido um nível mais alto de energia ou uma energia competitiva ao cão que já estava à vontade com o ambiente como ele era. Mas, mesmo assim, muitos donos ficam preocupados, pensando: "Agora meu cão está triste comigo. Ele me detesta". E projetam mais energia negativa. Quando as coisas entre os cães e o dono vão de mal a pior, este os leva a um vidente de cães. O vidente dirá que os dois animais foram rivais em uma vida passada. Acha que estou exagerando? Essa é uma versão leve de coisas que já ouvi meus clientes dizerem!

É preciso tratar os dois cães igualmente – com a posição calma e assertiva de líder da matilha. Os cães que são seguidores na matilha não brigam pelas posições de número dois e três. Eles devem concentrar todas as energias em seguir as regras, limites e restrições que *você* impõe. Se você for um bom líder de matilha, os cães não terão outra opção além de segui-lo. Duas mentes submissas conseguem viver e brincar juntas. Duas mentes dominantes desafiarão uma à outra, transformando sua vida em um pesadelo.

Em alguns casos, em um relacionamento entre um animal novo e um velho, sugiro um pouco mais de dominância de um cão e de submissão do outro. Gravei uma história para a segunda temporada de *Dog Whisperer* sobre como conseguir uma companhia para um cão que já estava na casa. O episódio recebeu o nome de "O encontro às cegas de Buford" – Buford é um boxer com cara de bravo, mas que é calmo e estável, porém anti-social. Ele precisava de uma companhia, mas sua dona, Bonita, não era uma líder 100% comprometida nem 100% calma e assertiva. Apesar de ser bastante tranqüila, ela precisava de muita orientação antes de levar outro boxer para dentro de casa, e percebi que não poderia esperar que ela oferecesse liderança firme a *dois* cães fortes. Fui com Bonita ao Boxer Rescue, em Sun Valley, Califórnia, para ajudá-la a escolher a "noiva" platônica de Buford. Apesar de ele ser um cão tranqüilo, que poderia se dar bem com diferentes cadelas, tive de pensar na energia e no nível de comprometimento de Bonita para fazer a escolha. Ela precisava de um cão que pudesse morar na casa sem lhe dar mais trabalho. Escolhemos Honey, uma cadela pequena e dócil, extremamente calma e submissa, com pêlo cor de leite com chocolate. Quando Honey chegou à casa, deixei que Buford estabelecesse a dominância imediatamente. Apesar de ambos serem calmos, permiti que ele subisse nela, de modo dominante. Também instruí Bonita a não fazer carinho em Honey durante duas semanas. Bonita gosta muito de cães, e isso foi difícil de cumprir. Mas era importante que Buford estabelecesse a dominância antes que Honey pudesse se relacionar com a dona. Basicamente, dei a ele a tarefa que geralmente cabe ao ser humano: apresentar ao cão novo as regras da casa. Com seu estado mental equilibrado, Buford realizaria essa tarefa melhor que Bonita nas duas primeiras semanas.

Antes de apresentar um cão novo aos já existentes na casa, saia com os "veteranos" para um longo passeio. Certifique-se de que eles estejam calmos e submissos. Mesmo que você esteja nervoso com relação ao encontro de um cão novo com um velho, precisa entender que não pode passar o medo, a tensão, o nervosismo ou a insegurança para eles. Ao fazer isso, você pode tornar a experiência dos dois muito ruim. Se não se sente à vontade para promover o encontro dentro de casa, escolha um local neutro. Depois, ao final do dia, convide os dois para ir para casa.

O mais importante é que você conheça seu cão antes de pensar em aumentar a "família". Tenha certeza de que ele não se sente frustrado e não tem problemas de agressividade por dominância ou por medo. Se tiver acesso a outros cães, faça uma pesquisa para observar como o seu cão interage com eles em diversas situações. Observe-os de perto em um parque ou quando brincarem juntos. Isso lhe mostrará que áreas do comportamento do seu cão precisam ser trabalhadas antes de levar novos amigos para casa.

Cães e o ciclo de vida: envelhecimento e morte

Quando vivemos com um cão por muitos anos, inevitavelmente o vemos envelhecer. Os cães têm um ciclo de vida mais curto que o nosso – cerca de 13 anos,[2] equivalentes aos nossos 77[3] –, por isso, a menos que os adotemos quando estivermos idosos, é bem provável que eles envelheçam antes de nós. Esse é um momento muito triste para diversos donos e sua família, mas acredito que os cães entram na nossa vida para nos ensinar, en-

---

[2] J. J. Brace, "Theories of Aging", *Veterinary Clinics of North America – Small Animal Practice*, 11, 1981, pp. 811-14.

[3] Fonte: American Association of Retired Persons.

tre tantas outras coisas, que o envelhecimento e a morte são parte da natureza e que, vivendo, precisamos aceitar a morte como apenas mais uma fase do ciclo natural de vida. Os cães celebram a vida e entendem a morte. Na verdade, aceitam a morte muito melhor que nós. Precisamos vê-los como nossos professores nesse assunto. A sabedoria natural deles pode nos ajudar a encontrar conforto quando lidamos com nossa fragilidade e morte.

Se um cão fica doente – por exemplo, se tem câncer –, ele não percebe a doença da mesma maneira que nós. Vamos sentir pena dele e enchê-lo de energia triste e sofredora toda vez que o observarmos, mas essa energia nada faz além de criar um ambiente negativo para ele. Se um cão volta do veterinário com um diagnóstico de câncer, ele não pensa: "Ai, meu Deus! Tenho apenas seis meses de vida! Gostaria de ter conhecido a China!" Os cães vivem o momento, independentemente de estarem doentes ou não, cegos ou não, surdos ou não. Seja qual for a situação, eles continuam vivendo o momento todos os dias. Recentemente ministrei um seminário no Texas para 350 pessoas. Um cão de um abrigo da região estava sentado próximo a mim, na parte da frente. Ele tinha recebido o diagnóstico de câncer havia pouco tempo, mas você não seria capaz de imaginar um cão mais feliz que aquele! Todos no seminário cochichavam: "Aquele cachorro tem câncer. Coitadinho!" Mas ele não se importava com o que as pessoas sentiam. Estava se divertindo muito, sendo um cão equilibrado, calmo e submisso em um novo ambiente. Uma coisa que podemos aprender com os cães é como apreciar e curtir a vida a cada instante, em cada detalhe, todos os dias.

A decisão de sacrificar um animal que está sofrendo é muito difícil. Ela é altamente pessoal e tem a ver com nossa consciência, nossas crenças espirituais e nossa ligação com o cachorro. Um dos meus clientes disse que tomou essa decisão quando "o cão já tinha se entregado", apesar de ainda estar vivo e respirando. O melhor consolo que posso dar numa situação tão difícil é que, quando o seu cão morrer, provavelmente terá vivido de forma mais plena que você. Ele aproveitou todos os momentos neste mundo e o deixa sem pendências, sem arrependimentos.

Os seres humanos são os únicos animais que temem a morte, morrem de medo da morte, ficam obcecados e sofrem por causa dela – e tudo isso *antes* de acontecer. Os cães podem nos ensinar muitas coisas sobre isso. Eles vivem o momento, todos os momentos, todos os dias. Vivem cada dia ao máximo. Os cães sofrem? Sim. Uma pesquisa recente mostrou que muitos animais lamentam a morte, especialmente a dos membros da família, de seus companheiros ou de pessoas com quem mantêm um forte laço.[4] Mas, para a maioria dos animais, o pesar é somente uma fase pela qual eles passam no caminho de volta ao equilíbrio. No mundo selvagem, se um líder morre, a matilha lamenta sua morte por um tempo e passa pela difícil transição para uma nova estrutura. Depois disso, ela segue em frente.

Como eu disse antes, psicologicamente, os cães superam as perdas com muito mais rapidez que os seres humanos – ou melhor, se permitirmos que isso aconteça. Se, em uma casa com dois cães, um deles morre, é claro que o outro sentirá a perda do companheiro. Mas é natural que, depois disso, ele volte a seu estado normal de equilíbrio – a menos que os seres humanos o impeçam. Somos nós que o impedimos de realizar o que a natureza lhe pede: seguir adiante, aproveitar a vida. É surpreendente o número de casos que já observei em que um cão da família morre e o sobrevivente passa a ter problemas que nunca teve antes. A família me chama e diz: "Ele não consegue superar a morte de Winston". Eu olho pela sala e vejo fotos de Winston por todos os lados, lembranças do enterro, as cinzas em uma urna, as cor-

[4] Marc D. Hauser, *Wild Minds: What Animals Really Think*. Nova York: Henry Holt and Company, 2000, pp. 226-67.

tinas fechadas, a casa escura e empoeirada. Não foi o cão que arrumou a casa daquele jeito. Pergunto quando Winston morreu e eles me respondem: "Há seis meses". Seis meses! Isso é uma *eternidade* para um cão. Não é natural que um cachorro se mantenha nesse estado de depressão durante tanto tempo. Ele quer voltar ao estado de equilíbrio e estabilidade de antes. Nesse caso, foram os seres humanos que entraram em um estado de dor e foram incapazes de seguir em frente. O cão só estava captando a energia trágica e a depressão passadas pelas pessoas e estava sendo levado por elas. Esse é um caso em que os seres humanos precisaram de ajuda para superar a dor e parar de projetar no cão a incapacidade que tinham de seguir em frente. Primeiro tinham de aceitar os próprios problemas e lidar com eles.

Também cuido de muitos casos em que um novo cão é levado para casa após a recente morte de outro. O novo tem de ser um "substituto" do que partiu. Em muitos casos, o substituto é levado para casa muito cedo, enquanto os seres humanos (e às vezes outros cães) ainda estão processando a dor. Ao levar um animal para uma casa cheia de tristeza, você o introduz num ambiente que não tem nada além de energia fraca e débil – uma energia completamente negativa. Não existem líderes fortes de matilha em uma casa cheia de tristeza.

Num caso recente, um filhote de dogue alemão assumiu o controle da casa, tornando a vida do marido, da esposa e de toda a família um pesadelo. Ele não era naturalmente dominante, mas, assim que entrou na casa, percebeu um vazio de liderança. Por mais difícil que seja, aconselho que, depois que seu cão morrer, você espere um pouco antes de levar um novo cachorro para casa. Espere até você estar pronto para abrir as cortinas, deixar a luz entrar e rir de novo. Depois disso, estará novamente pronto para ser o líder de matilha e oferecer um lar saudável e equilibrado para o novo cão na sua vida.

9

COMPLETANDO A VIDA DE NOSSOS CÃES, COMPLETANDO NOSSA VIDA

Apesar de ser um balde de água fria para nossos egos inflados, a verdade é que precisamos dos cães mais do que eles precisam de nós. Se os seres humanos desaparecessem da face da Terra amanhã, os cães conseguiriam sobreviver. Seguiriam seus instintos e formariam matilhas, da mesma forma que seus parentes lobos ainda fazem. Voltariam a caçar e estabeleceriam territórios. Continuariam criando seus filhotes como fazem hoje em dia. Sob vários aspectos, eles seriam mais felizes. Os cães não precisam dos seres humanos para serem equilibrados. Na verdade, grande parte das dificuldades e das instabilidades que os cães domésticos sofrem surge do fato de se encontrarem em situações pouco naturais, vivendo conosco em locais fechados, num mundo moderno e industrializado.

Eu já disse que os cães são de Plutão e os seres humanos são de Saturno. Seria mais correto dizer que os cães são da Terra – e os seres humanos são do espaço. Somos muito diferentes de todos os outros seres que dividem este planeta conosco. Temos o poder de raciocinar, que inclui o poder de nos enganar. É isso que fazemos quando humanizamos os cães. Projetamos a nossa imagem neles para nos sentirmos melhor. Ao fazer isso, não apenas prejudicamos nossos animais, como também nos distanciamos ainda mais do mundo natural em que eles vivem.

Parece que esquecemos que ainda temos acesso ao mesmo mundo habitado por eles. É por isso que os moradores dos desertos, das montanhas, das florestas e das matas conseguem sobreviver nesses lugares. São *Homo sapiens*, assim como nós, mas ainda vivem em completa sintonia com sua natureza animal. Eles vivem confortavelmente nos dois mundos. Aqui, na "civilização", nos separamos desse mundo natural, definindo a nós mesmos como espécies superiores, a espécie que cria, que desenvolve. Continuamos a matar esse lado, que é o melhor e o mais natural de nós mesmos, quando nos tornamos a espécie que destrói ecossistemas inteiros por dinheiro. Nenhuma outra espécie destrói a Mãe Natureza como nós. Apenas os seres humanos fazem isso.

Mas, por mais que devastemos a Terra, nossa natureza animal precisa ser realizada. Por que você acha que plantamos árvores pelas ruas? Por que colocamos quedas d'água nos pátios de edifícios? Por que decoramos as paredes da nossa casa com quadros de paisagens? Até mesmo os menores apartamentos geralmente têm janelas com plantas. Economizamos dinheiro por um ano apenas para poder passar uma semana de férias relaxando, perto do mar, do lago, das montanhas. Isso porque, sem algum tipo de ligação com a Mãe Natureza, nos sentimos isolados. Nosso mundo fica frio. Nós nos sentimos desequilibrados. Morremos por dentro.

Nos Estados Unidos e em algumas outras culturas do mundo, os cães e os outros animais que levamos para dentro do nosso lar são os mais importantes elos que temos com a Mãe Natureza. Talvez não saibamos disso conscientemente, mas eles nos conectam a uma parte de nós mesmos que está prestes a se perder. Quando humanizamos os cães, nos privamos das lições que eles têm para nos ensinar: como sentir o mundo por meio das verdades dos nossos instintos animais, como viver todos os momentos e todos os dias ao máximo.

Quando levamos os cães para dentro de casa, é nossa responsabilidade satisfazer suas necessidades instintivas, para que possam ter equilíbrio. Os cães não se importam com fazer truques, ganhar troféus ou usar coleiras bonitas. Não se importam se você vive em uma mansão ou se tem um emprego. Eles se preocupam com outras coisas: a solidariedade da matilha, como se conectar ao líder durante a migração, como explorar o mundo, como aproveitar cada segundo. Se você satisfizer o seu cão no que se refere a essas questões – dando-lhe exercícios, disciplina e carinho, nessa ordem –, ele vai retribuir com alegria todos os favores. Você vai testemunhar o milagre de ver duas espécies tão diferentes se comunicando e se unindo de maneira que nunca acreditou ser possível. E obterá, no relacionamento com o seu cão, o tipo de conexão profunda que sempre sonhou em ter.

Eu sinceramente espero, com este livro, ter ajudado você a encontrar um ponto de partida para a busca de um relacionamento melhor e mais saudável com os cães na sua vida.

A luz dourada de um momento mágico começa a sumir nesta praia deserta de Southern California, enquanto eu salto na beira do mar e lanço para longe uma bola de tênis, com toda a força. Felizes, todos os cães da matilha correm atrás dela, competindo para ser aquele que a trará de volta para mim – mas sem brigas. Qualquer pessoa que conheça cachorros sabe que isso é um milagre – mas eu sou um bom líder de matilha, e eles são bons seguidores. Regras são regras, e todos as conhecem. Carlitos, um pit bull de três patas, consegue pegar a bola desta vez, uma prova de sua grande determinação. Os outros latem atrás dele enquanto ele volta até mim, coloca a bola em minha mão e me olha com os olhos cheios de felicidade. Faço-lhe um carinho, corro para o mar novamente e lanço a bola. Os cães voltam para a água. Por um momento, sinto o que eles estão sentindo: o mar frio e salgado na minha pele, os milhares de odores praianos invadindo as minhas narinas, o barulho das ondas nos meus ouvidos. Sinto toda a alegria deste momento, e devo essa sensação a eles. Devo tudo a eles.

O sol está vermelho na superfície do oceano Pacífico enquanto corremos de volta pelo caminho cheio de pedras que nos leva à van. *Estamos exaustos, mas felizes. Hoje à noite, todos os quarenta cães do Centro dormirão muito bem. Eu também dormirei muito bem, sabendo que ajudei a completar a vida deles – assim como eles já conseguiram completar a minha.*

GLOSSÁRIO

1. Energia calma e assertiva

É a energia que você precisa projetar para mostrar ao seu cão que você é o líder de matilha calmo e assertivo. Perceba que *assertivo* não quer dizer bravo nem agressivo. Ser calmo e assertivo significa ser sempre compassivo, mas também estar tranqüilamente no controle.

2. Energia calma e submissa

Na natureza, é a energia apropriada ao "seguidor" numa matilha, além de ser a energia ideal para o cão projetar quando vive num ambiente com seres humanos. Os sinais da energia calma e submissa incluem postura relaxada, orelhas para trás e uma reação quase instintiva aos comandos do líder da matilha.

3. Exercícios, disciplina e carinho... nessa ordem!

Esses são os três ingredientes para criar um cão feliz e equilibrado. A maioria dos donos de cães só oferece carinho, ou não oferece esses três itens na ordem correta.

a) Exercícios: caminhar com o cão por pelo menos uma hora, todos os dias e da maneira correta.
b) Disciplina: definir regras, limites e restrições ao cão, de maneira não-abusiva.
c) Carinho: uma recompensa que damos aos cães e a nós mesmos, mas apenas *depois* de eles estarem calmos e submissos na nossa "matilha".

4. *Dominar a caminhada*

A caminhada é um ritual extremamente importante para o cão e precisa ser feita no mínimo duas vezes ao dia, por pelo menos 30 a 45 minutos de cada vez, para que a mente e o corpo do animal sejam exercitados. Também é importante que o dono aja como líder do cão durante a caminhada. Ou seja, o cachorro caminha ao lado ou atrás do dono – sem tentar passar à frente. Se um cão estiver "puxando" a pessoa na caminhada, ele se vê como o líder da matilha naquele momento, sem o controle do dono.

5. *Regras, limites e restrições*

a) Os cães precisam saber que o líder da matilha está estabelecendo regras, limites e restrições claros para a vida deles, *tanto* dentro *quanto* fora de casa.
b) Raiva, agressão ou violência com o cão *não* farão de você um líder de matilha; um líder bravo e agressivo não está no comando. A energia calma e assertiva e o comportamento de liderança *consistente* tornarão mais fácil o reforço das regras.

6. *Questões*

Se um cão não confia no dono como líder de matilha forte e estável, fica confuso a respeito de seu próprio papel dentro da matilha. Um cão confuso sobre quem manda está, na verdade, preocupado com a capacidade de *sobrevivência* da matilha, por isso tenta preencher o lugar dos elementos de liderança que faltam, geralmente de maneira errada. Isso pode causar agressividade, ansiedade, medo, obsessões ou fobias – o que chamo de "questões".

7. *Equilíbrio*

Um cão equilibrado está no estado que a Mãe Natureza deseja que ele fique – como um seguidor calmo e submisso, que se realiza fisicamente com exercícios, psicologicamente com regras, limites e restrições e emocionalmente com o carinho de seu dono.

8. Treinar cães

Condicionar os cães para que sigam as ordens dos seres humanos: "sentado", "parado", "venha", "em pé". Não é o que eu faço.

9. Reabilitar cães

É *isto* que eu faço: ajudo um cão com problemas a voltar a um estado equilibrado de submissão calma. Às vezes pode parecer que consigo "consertar" um cachorro instantaneamente, mas, como eu digo, um cão não é um eletrodoméstico que pode ser mandado para o conserto. A reabilitação permanente do cão só pode ocorrer com um dono calmo, assertivo, estável e *consistente*.

10. Focinho, olhos, ouvidos... nessa ordem!

Eu aviso aos donos de cães que estes vêem o mundo de modo diferente do nosso. Nós nos comunicamos usando os ouvidos em primeiro lugar, depois os olhos e, por último, o nariz. Permitir que um cão sinta o nosso cheiro antes de estabelecer contato visual ou antes de falar com ele é uma maneira de conquistar sua confiança desde cedo.

11. Humanizar um cão

Muitos donos cometem o erro de tratar seus cães como crianças. Aconselho às pessoas que tentem ver o mundo pelos olhos dos cães. Roupas bonitas, ração de marca e mansão milionária não farão o cão feliz. Exercícios regulares, um líder de matilha forte e estável e carinho *conquistado* o tornarão calmo e equilibrado.

12. Treinar pessoas

Quando sou chamado para um trabalho, as pessoas geralmente acreditam que o problema está no cão. Tento ajudá-las a entender que seu próprio comportamento tem um grande efeito sobre o cachorro e ofereço sugestões para que elas se "retreinem" para serem líderes de matilha calmos e assertivos.

CONFIRA TAMBÉM

Cães educados, donos felizes

Cesar Millan, autor do *best-seller O encantador de cães*, lança agora um guia para você desenvolver as habilidades certas e se tornar o líder de matilha de que seu cão precisa para ter uma vida plena e equilibrada - mudando você e seu companheiro para melhor.

Aprenda com Cesar Millan a usar o poder da energia calma e assertiva para se tornar o líder da matilha em todas as áreas da sua vida, e veja seus relacionamentos - caninos e humanos - alcançarem um patamar nunca antes imaginado.

ISBN: 978-85-7686-038-9 / 14 x 21 cm / 300 páginas / R$ 34,90

Impressão e Acabamento

Prisma Printer Gráfica e Editora Ltda.
Fone/Fax: (0xx19) 3229-7171
E-mail: grafica@prismaprinter.com.br
www.prismaprinter.com.br
Campinas - SP